国际中文教育中文水平等级标准
（国家标准·应用解读本）

主　　编	刘英林	马箭飞　赵国成
主要成员	傅永和	国家语言文字工作委员会
	胡自远	教育部中外语言交流合作中心
	李佩泽	汉考国际教育科技（北京）有限公司
	李亚男	汉考国际教育科技（北京）有限公司
	梁彦民	北京语言大学
	郭　锐	北京大学
	侯精一	中国社会科学院语言研究所
	李行健	教育部语言文字应用研究所
	王理嘉	北京大学
	张厚粲	北京师范大学
	杨寄洲	北京语言大学
	赵　杨	北京大学
	吴勇毅	华东师范大学
	王学松	北京师范大学
	张新玲	上海大学
	刘立新	北京大学
	张　洁	中国人民大学
	于天昱	北京语言大学
	应晨锦	首都师范大学
	金海月	北京语言大学
	王鸿滨	北京语言大学
	关　蕾	教育部中外语言交流合作中心
	白冰冰	汉考国际教育科技（北京）有限公司

国外咨询专家：（按国名音序排序）

顾安达　德国　柏林自由大学
白乐桑　法国　巴黎东方语言文化学院
孟柱亿　韩国　韩国外国语大学
刘乐宁　美国　哥伦比亚大学
古川裕　日本　大阪大学
张新生　英国　伦敦理启蒙大学

国内咨询专家：（按姓氏音序排序）

曹　文　北京语言大学
曹贤文　南京大学
陈志华　兰州理工大学
陈作宏　中央民族大学
程　娟　北京语言大学
程乐乐　武汉大学
丁崇明　北京师范大学
段业辉　南京师范大学
冯丽萍　北京师范大学
郭风岚　北京语言大学
郭　鹏　北京语言大学
韩维春　对外经济贸易大学
洪　波　首都师范大学
胡晓清　鲁东大学
贾巍巍　高等教育出版社
姜　锋　上海外国语大学
李光哲　东北师范大学
李　泉　中国人民大学
李　杨　北京语言大学
刘　利　北京语言大学
卢福波　南开大学
鲁健骥　北京语言大学

陆俭明	北京大学
吕文华	北京语言大学
毛　悦	北京语言大学
潘先军	北京第二外国语大学
任惠莲	西北大学
施春宏	北京语言大学
施家炜	北京语言大学
苏英霞	北京语言大学
汤　洪	四川师范大学
唐兴全	对外经济贸易大学
万　莹	华中师范大学
王立新	南开大学
吴　坚	华南师范大学
吴中伟	复旦大学
谢小庆	北京语言大学
许嘉璐	北京师范大学
杨丽姣	北京师范大学
翟　艳	北京语言大学
张　博	北京语言大学
张　健	北京语言大学
张建民	华东师范大学
张晓慧	北京外国语大学
张晓涛	哈尔滨师范大学
张艳莉	上海外国语大学
钟英华	天津师范大学
周小兵	中山大学
朱瑞平	北京师范大学

国际中文教育
中文水平等级标准

（国家标准·应用解读本）

Chinese Proficiency Grading Standards for
International Chinese Language Education

(National Standard: Application and Interpretation)

第一分册：等级描述、音节、汉字
Volume 1: Grade Descriptors, Syllables, and Characters

教育部中外语言交流合作中心　编

刘英林　马箭飞　赵国成　主编

北京语言大学出版社
BEIJING LANGUAGE AND CULTURE
UNIVERSITY PRESS

© 2021 北京语言大学出版社，社图号 20136

图书在版编目（CIP）数据

国际中文教育中文水平等级标准：国家标准·应用解读本 . 1，等级描述、音节、汉字 / 教育部中外语言交流合作中心编；刘英林，马箭飞，赵国成主编 . —北京：北京语言大学出版社，2021.4（2024.1 重印）

ISBN 978-7-5619-5743-1

Ⅰ.①国… Ⅱ.①教… ②刘… ③马… ④赵… Ⅲ.①汉语 – 对外汉语教学 – 课程标准 Ⅳ.① H195.3

中国版本图书馆 CIP 数据核字（2020）第 165062 号

国际中文教育中文水平等级标准（国家标准·应用解读本）
第一分册：等级描述、音节、汉字
GUOJI ZHONGWEN JIAOYU ZHONGWEN SHUIPING DENGJI BIAOZHUN
(GUOJIA BIAOZHUN · YINGYONG JIEDUBEN)
DI-YI FENCE: DENGJI MIAOSHU、YINJIE、HANZI

责任编辑：	付彦白
装帧设计：	张　静
责任印制：	周　燚
排版制作：	北京创艺涵文化发展有限公司
出版发行：	北京语言大学出版社
社　　址：	北京市海淀区学院路 15 号，100083
网　　址：	www.blcup.com
电子信箱：	service@blcup.com
电　　话：	编 辑 部 8610-82303647/3592/3724
	国内发行 8610-82303650/3591/3648
	海外发行 8610-82303365/3080/3668
	北语书店 8610-82303653
	网购咨询 8610-82303908
印　　刷：	天津嘉恒印务有限公司

版　次：	2021 年 4 月第 1 版	印　次：	2024 年 1 月第 6 次印刷
开　本：	880 毫米 × 1230 毫米　1/16	印　张：	10
字　数：	120 千字	定　价：	55.00 元

PRINTED IN CHINA
凡有印装质量问题，本社负责调换。QQ：1367565611，电话：010-82303590

目 录

汉语国际教育汉语水平等级标准全球化之路（代序） 刘英林 李佩泽 李亚男 ………… 1

使用说明 ……………………………………………………………………………………… I

国际中文教育中文水平等级标准 …………………………………………………………… 1
 初等 ………………………………………………………………………………………… 3
 中等 ………………………………………………………………………………………… 6
 高等 ………………………………………………………………………………………… 10

国际中文教育中文水平等级标准音节表（含"代表字"）……………………………… 13
 初等（608 个）…………………………………………………………………………… 15
 一级音节（269 个）……………………………………………………………………… 15
 二级音节（199 个）……………………………………………………………………… 18
 三级音节（140 个）……………………………………………………………………… 20
 中等（新增 300 个）……………………………………………………………………… 22
 四级音节（116 个）……………………………………………………………………… 22
 五级音节（98 个）………………………………………………………………………… 24
 六级音节（86 个）………………………………………………………………………… 25
 高等（新增 202 个）……………………………………………………………………… 26
 七一九级音节（202 个）………………………………………………………………… 26
 按音序排列的音节表（1110 个）………………………………………………………… 28

国际中文教育中文水平等级标准汉字表 ………………………………………………… 43
 初等（900 个）…………………………………………………………………………… 45
 一级汉字（300 个）……………………………………………………………………… 45
 二级汉字（300 个）……………………………………………………………………… 47
 三级汉字（300 个）……………………………………………………………………… 49
 中等（新增 900 个）……………………………………………………………………… 51
 四级汉字（300 个）……………………………………………………………………… 51
 五级汉字（300 个）……………………………………………………………………… 53
 六级汉字（300 个）……………………………………………………………………… 55
 高等（新增 1200 个）…………………………………………………………………… 57
 七一九级汉字（1200 个）………………………………………………………………… 57
 按音序排列的汉字表（3000 个）………………………………………………………… 64
 按音序排列的分级同音字表 ……………………………………………………………… 90

国际中文教育中文水平等级标准手写汉字表 ································· 110
　　　初等手写汉字（300个）··· 110
　　　中等手写汉字（新增400个）··· 112
　　　高等手写汉字（新增500个）··· 115
　　　按音序排列的手写汉字表（1200个）·································· 118

鉴定意见 ·· 129

鉴定专家组签字 ·· 130

后记 ·· 131

汉语国际教育汉语水平等级标准全球化之路*（代序）

刘英林　李佩泽　李亚男

提要　国家级《等级标准》需要一次根本性统合创新，转型升级。我们历经32年厚积薄发，呈现了三种实干创新设计和实践，它是《等级标准》的三大支柱：（1）包容性、混合型、全方位"三等九级"新范式，这是适应全球化、多元化、可持续发展的顶层设计；（2）每一级标准"3+5"新路径，这是新型测试与教学深度结合的新平台，是一种渐进式整合创新；（3）每一级"四维基准"等级量化指标国际化新规则，它具有原创性和前瞻性，是历史发展的必然趋势。同时，《等级标准》还聚焦国家需求，总结了在破解汉语国际教育"老大难"问题上的三个新亮点，其中最大亮点是开创"附录A（规范性）语法等级大纲"。

关键词　汉语国际教育　汉语水平　等级标准　三等九级　新范式　新路径　新规则

一　历史回顾

温故而知新，回望过去是怎么走过来的，有助于正本清源，更好地看清未来的路。我们回顾历史是为了认真总结经验，吸取智慧，顺应历史趋势，开创未来。中国对外汉语教学——汉语国际教育不断努力探索具有中国特色的汉语水平等级标准和等级大纲，循序渐进，综合集成，创新发展，大致经历了四个阶段。

1.1　第一阶段

1987年，中国对外汉语教学学会会长吕必松提议组建研发小组[①]，并得到著名语言学家吕叔湘的支持，首度开启汉语水平等级标准和等级大纲"学科基础建设"和"开创性系统工程"课题研究和应用。当时，从全国五所高校抽调的七位中青年教师集中在北语专家楼，从事专门研究半年多，1988年出版了中国对外汉语教学第一本汉语水平等级标准——《汉语水平等级标准和等级大纲》（试行），并在全国试用。这是第一代学会的汉语水平等级标准。因时间、经费等原因，总体设计的五级标准只完成了三级，甲、乙、丙、丁四级词汇等级大纲和语法等级大纲也只完成了三级。

1992年，我们发愤图强，抓住机遇，主编、出版了《汉语水平词汇与汉字等级大纲》。这是国家汉办重大项目，是中国对外汉语教学第一个系统完整的以词汇为中心、"汉字跟着词汇走"的"二维基准"等级大纲，被学界称为中国对外汉语教学的"圭臬"。词汇等级大纲和汉字等级大纲均分为甲、乙、丙、丁四级，词汇总量8822个，汉字总量2905个。

---

* 文章发表于《世界汉语教学》第34卷2020年第2期。根据国家语言文字规范标准审定委员会审定意见，将《汉语国际教育汉语水平等级标准》更名为《国际中文教育中文水平等级标准》。

① 研发小组由李景蕙（北京语言学院）任组长、赵贤州（上海外国语大学）任副组长，主要成员有（按姓氏音序排序）：董明（北京师范大学）、贾甫田（南开大学）、刘英林（北京语言学院）、盛炎（北京语言学院）、赵燕皎（北京大学）。

1.2 第二阶段

1996年，我们接力前行，以国家汉办汉语水平考试部名义出版了《汉语水平等级标准和语法等级大纲》（刘英林主编，以下简称《标准和语法大纲》）。这是中国对外汉语教学第一本系统完整的汉语水平五级标准和四级语法大纲。甲、乙、丙、丁四级语法等级大纲总量为1168个语法项点。五级标准在每一级标准"听、说、读、写、译"基本技能之前，认真总结和吸纳国内外汉语作为外语教学的成功经验，有选择地融进我们的标准，依次增添了"语言范围""话题内容"和"言语交际"三项语言要素指要。这是国家汉办的第二代汉语水平等级标准。

2004年，应新加坡教育部邀请，我们赴新为其总体设计华语水平等级标准和水平考试，正式提出了国际性、系统性、联通性华语水平等级标准三等九级主体框架。这是汉语国际教育领域汉语水平等级标准第一次国际化的成功尝试。

1.3 第三阶段

2007年，我们自发组建多学科专家课题组，并得到教育部社科司和国家汉办的大力支持。课题组直接挂靠在国家汉办，刘英林被委任为课题组组长和首席专家，和马箭飞研发、主编了《汉语国际教育用音节汉字词汇等级划分》（以下简称《等级划分》），2010年通过国家语委语言文字规范（标准）审定委员会审定。《等级划分》依据国家的需要和汉语独特性，敢为人先，首次引入音节作为突破口，以汉字为核心，开创我国汉语国际教育新学科第一个音节、汉字、词汇"三维基准"国家标准，具有开拓性意义，音节总量1110个，汉字总量3000个，词汇总量11092个。这是经过18年艰苦努力，迈出的走向全球化之路的重要一步。我们撰写的《等级划分》词条2017年入选《中国大百科全书》（第三版）。

1.4 第四阶段

2018年，孔子学院总部及汉考国际组建"一老一青"两个专家组[②]，刘英林被双聘为总顾问，负责统筹规划和总体设计，大家团结在一个共同目标下，克难前行，义无反顾地直奔主题——以制订符合全球化需求的新时代国家标准作为特定目标。这是我们选择的路，是孔子学院总部科研课题的"重中之重"，此重大项目定名为《汉语国际教育汉语水平等级标准》（以下简称《等级标准》），这是经过反复论证、一脉相承、顺应历史之需的决定。

2019年，首届"国际中文教育大会"（ICLEC 2019）在中国长沙举办，这是新形势下目标长远的一个重大的标志性事件。我们这个重大项目应邀在会上发言并展示。

二 创新升级等级标准是新时代汉语国际教育的需要

汉语正在成为国际性语言。中国需要有植根汉语、独具特色的国家级等级标准。自主创新

---

② 老专家顾问组，总顾问由刘英林（北京语言大学）担任，根据总顾问提议，又聘请五名顾问，分别是：傅永和（国家语言文字工作委员会）、侯精一（中国社会科学院）、李行健（语文出版社）、王理嘉（北京大学）、张厚粲（北京师范大学）。老专家顾问组平均年龄84岁。中青年专家组，主要成员有：梁彦民（北京语言大学）、刘立新（北京大学）、王学松（北京师范大学）、应晨锦（首都师范大学）、于天昱（北京语言大学）、张洁（中国人民大学）、金海月（北京语言大学）、王鸿滨（北京语言大学）、张新玲（上海大学）。

等级标准必须具有更宽广的视野和更长远的眼光，适应新的世界的广泛需求。创新是一个长期积累、从量变到质变的过程，是对现有知识和体系进行提炼、集成、整合和提高的整体化过程，创新品牌要有十年、二十年磨一剑的精神。升级国家级等级标准最重要、最核心的原则是以基本的事实为基础，重新进行目标定位，开拓创新，兼容并包，在精准度、广度和内在逻辑性上下功夫，从多个层面注入新内涵，在重点方向上形成突破，引领汉语国际教育从重视数量发展转入重视质量提高的新时代。等级标准改革创新是对其进入全球化时代的一次系统性、集成性、协同性重构，创新重点放在以下三个方面。

2.1 坚持守正创新，突出汉语独特性，自主研发国家级等级标准新范式

自主创新国家级等级标准，最根本的根据和最重要的引领是汉语国际教育第一个国家标准《等级划分》，新时代《等级标准》的核心是依托《等级划分》规定的短期、中期、长期可持续发展的目标，站在新的历史起点上，主动担当，创新统一性、联通性、实用性的初等、中等、高等三等九级汉语水平等级标准新体系、新范式。两者相融相通，持续创新，呈现明显的国际化、多元化、系统化发展的新趋势，这是最关键之所在，也是《等级标准》最显著的特征。

自主创新要不断超越自我。我们从1988年中国对外汉语教学学会初创时的主体框架五级标准、四级等级大纲设计，在探究、实践、沉淀32年之后，统合创新、优化升级，定型为汉语水平等级标准包容性、混合型、全方位的三等九级新框架、新范式。这是改革创新的大方向，是《等级标准》的基础架构，是《等级标准》最主要的标志，是汉语国际教育面向全球化、国际化、规范化长远稳定发展的历史选择，是认知新时代《等级标准》的新维度、新定位。初等水平一、二、三级标准和中等水平四、五、六级标准，"每一级"都是相对独立、完整的，"每一级"都坚持定性描述和定量分析相结合，以精准化的定量分析为准绳，着力构建一组精细化的音节汉字词汇语法等级量化指标（组合），这主要是根据世界各地多样化、大众化、普及化、便捷化客观需要做出的自主选择和有效回应；高等水平七、八、九级标准，等级量化指标不再细分，是包容统合在一起的，是为以汉语为专业的外国学生及汉语水平较高的学习者准备的，是为提高服务的，是不可缺失的。创立更具世界性、融通中外、以最低入门等级为先导的三等九级等级标准新范式，刚性原则和主要动因有两个：一是以国家急需为导向，满足汉语国际教育教学、测试、学习、评估四个方面全球化需求，包括来华各类留学生进入我国高校学习的汉语水平标准要求[③]；二是充分体现汉语教学特点和中国文化特色。这是我们的根本出发点，是顺应时代潮流的重大范式性转变，是我们总结、拓展2004年在新加坡为其设计第一个世界华语三等九级标准的基础上，强调运用从定性到定量综合集成方法完成的，是更加标准化、规范化、国际化、系统化的汉语国际教育汉语水平等级标准顶层设计。

简而言之，这个包容性、混合型、全方位的三等九级新范式，是基于2010年第一个国家标

[③]《等级标准》通过国家语委审定后，我们最优先考虑的关键项目是国家级HSK3.0版，打造全球化的世界品牌，这是教育部中外语言交流合作中心及汉考国际的中心任务之一。HSK3.0将在《等级标准》引领下开启新时代三等九级汉语水平考试新纪元，其中包括更好地建立和完善来华留学生进入我国高校学习的汉语水平各类入学标准。

准《等级划分》大规模样本统计数据分析和多元化比照整合构建的,是新时代全世界多层次测试、教学、学习和评估集于一体的国家级《等级标准》,是长期探索、积累、筛选、坚守之后《等级标准》渐进式、持续创新的系统性变革,是一种根本性、统一性范式改革和升华,也是理念上的进一步提升和精进。国家级《等级标准》三等九级新范式植根汉语国际教育特点,站在全世界和中国两个基点上,回应了大家的共同期待,变得越来越完整、越来越协调可信,这对全球化汉语国际教育发展具有重大而深远的意义和影响。第三代国家级《等级标准》的新时代已经来临。

表1 三等九级新范式

等次	级别	说明
初等水平	一级	一——六级每级都有一组音节汉字词汇语法等级量化指标（组合），每一级标准都相对独立
	二级	
	三级	
中等水平	四级	
	五级	
	六级	
高等水平	七级	七——九级等级量化指标（组合）不再细分，包容统合在一起
	八级	
	九级	

2.2 提出"等级质量""集成创新"新理念，创新规范化新路径，确保"每一级"标准的特点和质量

我们提出"等级质量""集成创新"新理念，"每一级"标准都要探索形成、优化升级"3＋5"规范化新路径，这是一个精心设计和安排的具有独特性、联通性的语言教学与测试新板块，是引领未来方向的创新发展新平台。这是反复探索的成果，所谓"3"提炼为三个层面，每层都进行改革升级，辩证思考和取舍，每一层"既是传承的，又是发展的"。第一层"言语能力"（1996）升级为"言语交际能力"，置于首要位置。这是"纲"，是基础性准则，也是国际社会的普遍共识，强调培养学习者的言语交际能力是教学与测试的中心任务，强调交际能力中语用能力的教学与应用，注重跨文化交际和交际策略等。第二层"话题内容"（1996）拓展扩充为"话题任务内容"。在世界性主流教学理念中，任务在语言教学和测试中的作用，是近十几年来的重要（前沿）课题，我们认同、吸纳、践行这一理念，在"话题内容"的基础上增添"任务"一项，话题和任务并列在一起，兼收并蓄，有利于与国际上普遍认可的规则标准有效对接，如《欧洲语言共同参考框架》。这些"话题任务内容"一般都是举例性的，其中一个非常重要的方面就是"中国文化"，我们将其有序分布在"话题"和"任务"里灵活变通处理④，"每一级"挑选较为典型、实用、例举

---

④ 1988年出版的《汉语水平等级标准和等级大纲》（试行）中，原来准备研发《词汇等级大纲》《语法等级大纲》《功能、意念等级大纲》及《文化等级大纲》，"《功能、意念等级大纲》和《文化等级大纲》还未及制定"。后两种等级大纲经十几年的研讨、争论，也几次请专家专门研究，终因课题太难、太复杂，难以形成共识，很难制定出既规范又务实有效的《文化等级大纲》，这是直到今天仍"未及制定"的根本原因。我们的做法是，在"话题任务内容"中适度添加、优选有关"中国文化"的"话题和任务"举例性项目，进行包容性变通处理，这在现阶段是理性的，也是行之有效的。

性的条目，按难度和实用度适度分级，与"每一级"标准描述有机整合在一起。第三层"语言范围"（1996）革新提炼优化为"语言量化指标"，开创音节、汉字、词汇、语法"四维基准"等级量化指标国际化新规则。它源自中国，站在了世界前沿，成果属于全世界（详见2.3）。同时，我们更加认识到，这"3层"新理念＋"5种"语言基本技能——听说读写译，系统性包容协调交织在一起，搭建了一个集言语交际能力、教学（测试）内容与语言要素、语言基本技能融通为一体的新平台，相得益彰，形成良性互动，推动优势互补，发挥混合叠加效应，最终具备一种更加完整、更加系统、更加高效的语言综合应用能力。

新时代《等级标准》坚定不移走自主化创新道路。经过多年与时俱进的探索和综合性的研究积淀，我们认定，初等水平和中等水平阶段即前六级标准，"每一级"新板块、新路径，就是一个相对独立的特有的"这一级"水平，就是一个既定的等级目标。这一点具有至关重要的意义，这个事实来源于实践，它让我们看得越来越真切、清晰、明确，它是新时代适用于国际化、普及化、多样化教学与测试的新理念，是未来发展的趋势，是新时代国家标准最显著的特征之一。这种"每一级"创新型"3＋5""多元一体"的标准化、规范化、新路径、新板块，是顺应新时代需求和汉语特点整合优化拓展而来的。它独树一帜，集成创新，根植汉语国际教育，面向现代化，面向世界，面向未来，正在落地生根，富有创意也更贴合实际，能够确保"每一级"的等级质量和特色，进一步增强全球化的应用性和包容性，提高等级质量的稳定性、系统性和整体协调性，将为新型国家级《等级标准》增添更多新动力。

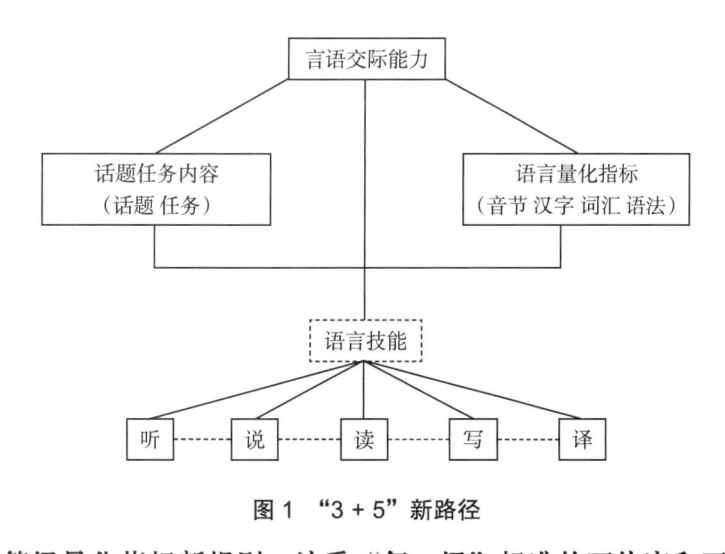

图1 "3＋5"新路径

2.3 精心设计等级量化指标新规则，注重"每一级"标准的可信度和可操作性

我们提出从构建精细化等级量化指标（组合）着手，对"每一级"标准进行精密化等级质量研究和控制。敢于走前人没有走过的路，"每一级"标准均源于2010年我们首创的第一个国家标准《等级划分》，10年后的2020年再由音节、汉字、词汇"三维基准"继往开来、创新拓展成为音节、汉字、词汇、语法"四维基准"，它是升级换代、全方位精准化等级量化指标国际化新规则。新时代音节、汉字、词汇、语法"四维基准"新规则是教学与测试中体现汉语水平最重要的语言要素，它独具特色、互联互通、环环相扣，开了汉语国际教育史上的先河，具有原创性。"只有能执

行的知识才有力量",这是一种前所未有的新知识组合,是一种更符合汉语特点的新理念,更有利于汉语国际教育在全世界的规模化发展。"每一级"的可信度和可操作性都更高,更符合时代发展的需求。这是新时代《等级标准》具有前瞻性的重要创新点,是定量分析中的关键要素。目标非常明确,更加开放融合,更加求真务实,促使《等级标准》更加标准化、规范化,更具规则性和系统性,使全世界多元化使用者目标清晰、有据可依、有章可循。一个科学的汉语水平等级标准一定是规范、务实、管用且方便执行的。标准活在细节里,每一级标准和细节都要用工匠精神打磨完成。

换言之,音节、汉字、词汇、语法"四维基准"等级量化指标新组合、新理念、新规则,是我们几代人30多年厚积薄发、蓄势而为,集中呈现出来的一项具有汉语特色的开创性成果,走在了世界前沿,是一个合理的全球化方案,是新时代《等级标准》国际化、规范化、系统化深度融合的一个最具标志性的基本特征,为《等级标准》未来的长远创新发展和更为广泛的应用奠定更坚实的基础。"每一级"都要有一个实实在在、量身定制、可有效操作的音节汉字词汇语法等级量化指标,这是每一级标准的"抓手"和基石。这是一个好传统,是我们的优势,不应忽视,更不能丢掉。我们坚信,新时代《等级标准》中,每一级的等级量化指标都是不可或缺的,缺了这一条规则,"这一级"的"能力"也好、"水平"也好,都是模糊不清的,是空洞的,是无法有效操作的。这是关键性的一步,是历史的必然趋势,这种理性认识将作为世界性新规则逐步传导至世界各地生根发芽,为顺应未来的创新性发展注入新活力、新能量。

进行这最关键一步的研究,最为重要的是,在新时代国家级《等级标准》研制和实践中,我们应有更强的使命自觉、文化自信和学术自信。汉语是独一无二的,音节、汉字、词汇、语法"四维基准"体系逐步拓展夯实,别开生面,自成一体,具有一种体系优势,这是新时代国家级《等级标准》的独特风格。我们不能也不会再亦步亦趋地扮演模仿者和追赶者的角色。要做开拓者,勇于引领创新,我们要走特色之路,坚定不移走具有中国特色的汉语水平等级标准全球化之路。这是我们的毕生追求。

表2 《汉语国际教育汉语水平等级标准》语言量化指标总表

等次	级别	音节	汉字	词汇	语法
初等	一级	269	300	500	48
	二级	199/468	300/600	772/1272	81/129
	三级	140/608	300/900	973/2245	81/210
中等	四级	116/724	300/1200	1000/3245	76/286
	五级	98/822	300/1500	1071/4316	71/357
	六级	86/908	300/1800	1140/5456	67/424
高等	七—九级	202/1110	1200/3000	5636/11092	148/572
总计		1110	3000	11092	572

注:表格中"/"前后两个数字,前面的数字表示本级新增的语言要素数量,后面的数字表示截至本级累积的语言要素数量。高等语言量化指标不再按级细分。

三 新时代《等级标准》破解老大难问题的新亮点

创新提质升级新时代《等级标准》的关键词是思"变",变革创新。我们的出发点是以解决问题为导向,进行系统性创新思维,突出解决汉语国际教育教学、测试、学习、评估中长期存在的问题,不"躲"老大难问题。要找准真问题"对症下药",重点解决实际需求,把握好国家标准和相对标准的关系,真抓实干,不断开拓,以简捷、务实、管用为目标,为长期存在的三大难题做出更有针对性、更具实效性的务实调整,脚踏实地实现自我突破,寻找切实可行的新路向、新方案。

3.1 引领音节整体教学、整体合读、直呼教学的新路向

口头汉语的基本单位是音节,是学生用来听说的,而不是老师用来"讲"的。音节教学对快速提高听说能力至关重要。汉语拼音教学最大的优势和规则性就是音节整体教学和应用。汉语国际教育第一个国家标准《等级划分》历史上第一次以音节作为突破口和创新点,创建音节、汉字、词汇"三维基准"新标准、新体系,开了一个好头,为音节整体教学、音节整体合读、直呼教学与测试指明了方向和路径。这在汉语国际教育历史上是一件大事,但直到今天似乎并未引起足够的重视。我们在这里再次呼吁和强调,音节整体、合读、直呼教学新路向在初等水平和中等水平两个阶段非常重要,非常适用。依据《等级划分》,初等水平汉字900个,涵盖音节608个,生成常用词2245个;中等水平新增音节300个(累计908个),汉字900个(累计1800个),常用词3211个(累计5456个);高等水平新增音节202个(累计1110个),汉字1200个(累计3000个),词汇5636个(累计11092个)[5]。这些科学数据为汉语国际教育特别是初等水平和中等水平的音节整体、合读、直呼教学新规则、新路向提供了最重要、最可靠的依据。音节整体、合读、直呼教学简单、便捷、实用,能快速提升听说能力,是有效提升口语水平的最重要途径,它能有效化解汉字教学中长期存在的"见字不知音"这个顽疾。快速提升口语水平是硬道理,可以预期这是汉语国际教育最有可能出现的新突破口和最具活力的新亮点。

在高等水平阶段要弱化单一音节教学,强化词语声调组合及轻重音格式学习。这是汉语国际教育的新理念。据此,我们依据《等级划分》还主编、出版了《汉语国际教育用词语声调组合及轻重音格式实用手册》(2019),这是国家标准《等级划分》的衍生产品,是提升口语听说水平、克服"洋腔洋调"的重要专业标准。另外,积极倡导分级(特别是一——六级水平)编写出版音节与汉字并行的各种形式、丰富多彩的通俗读物(包括有声),这是新时代汉语国际教育不可或缺的重要一环。音节整体、合读、直呼教学与汉字整体认读"相加""相融"在一起,非常有利于直接有效地培养汉字整体认读、字音和字形一体化同步认读和记忆能力,有效提升阅读水平。谁优先、有效、有计划地勇敢走出这一步,谁将吹响汉语言文字真正走向世界的"号角"。

3.2 倡导汉字认读与手写适度分离,规定汉字认读与手写的合理配比

国际汉语教学中汉字教学长期滞后,最主要的原因有两个:一个是听说读写四种语言技能教

---

[5] 初等水平608个音节,中等水平新增音节300个,高等水平新增音节202个,列表附于《等级标准》后。

学中，汉字认读与手写长期同步、等量进行；另一个是在教学整体设计上，所有的汉字都一律要求"四会"，既要求能认读，也要求会手写。汉字难写（手写）是摆在我们面前的必须解决的一道世界性难题，这种将听说读写"四会"捆绑在一起的惯常思维方式，在国际化、普及化、多样化、全球化的汉语教学中，是很难作为规范标准、可持续发展的。在研发新时代《等级标准》时，必须直面这个老大难问题。为破解这个难题寻找新方案，以适应新世界的新现实。改变是唯一的出路。近20年以来，国际汉语教学界对"认写分流、多认少写"的汉字教学模式做了很多研究和探索。此外，2011年出版的《义务教育语文课程标准》已经把"认字表"（3500字）和"写字表"（2500字）区分开来，这些经验都值得我们借鉴。

新时代国际化、规范化、多元化《等级标准》要打破既定模式，对汉字测试和教学大力进行革新，对汉字认读和手写的数量依据教学规律进行适度调整，调整也是变革。作为改革的重要一步，要合理规范、规定初等、中等、高等三等水平阶梯式汉字认读和手写的配比，为"每一等"汉语水平规定手写汉字"最低量"，实现精准改革，这是符合国际汉语教学大众化、普及化、全球化需求的，是必不可少的。初等水平900字手写汉字300个，中等水平900字手写汉字400个，高等水平1200字手写汉字500个，滚动性累计为手写汉字1200个（初等水平的900字+中等水平的300字）[6]。也就是说，在国际化、大众化汉语教学中，由低到高规定不同等级水平的手写汉字"数量递增"新思路、新方案，总体目标是为新时期汉字教学建立一种汉字认读与手写适度分离、手写汉字从少到多有序推进的开放性、包容性新路向，这是汉语国际教育顺应时代潮流的一种相对标准，是现阶段最务实、最有效、最理性的选择。这是破解老大难问题的又一个新亮点，这将是一个长期的演变过程。

3.3 优化语法教学与测试，开创"附录A（规范性）语法等级大纲"

汉语国际教育70年来语法教学与测试始终没有一个规范、统一、实用的教学与测试等级标准，这是学界高度关注的另一个老大难问题。我们两个专家团队集体攻关，比以往有更好的准备，大家奋力前行，团结协作，靠自己蹚出一条路。我们在中期研究成果的基础上，于2019年召开知名语法专家重要咨询会[7]，听取各方专家意见，敢于突破，提出了开创与"四维基准"相适应的国家级《等级标准》"附录A（规范性）语法等级大纲"（以下简称"语法A类附录"）切实可行的五条意见：

（1）与时俱进，提出将"语法A类附录"与新时代国家级《等级标准》三等九级新范式有效对接，有机融入初等水平（一、二、三级）、中等水平（四、五、六级）和高等水平（七、八、九级统合在一起）新框架、新体系，增强"语法A类附录"的针对性、有效性和引领性。

（2）强化传承，彰显特色，创新发展中国对外汉语语法等级大纲的独特性，将新事物与过去语法教学传统中最好的东西结合起来。这是经过几代人代际相传的成果，是托举《等级标准》富

---

[6] 要求手写的1200个汉字，列表附于《等级标准》后。

[7] 与会专家有：陆俭明（北京大学）、吕文华（北京语言大学）、丁崇明（北京师范大学）、郭锐（北京大学）、李泉（中国人民大学）、卢福波（南开大学）。

有特色的语法等级大纲的根基和支柱。如，几种特殊句型、特殊表达法、动作的态、十几种常用的提问方法、固定短语、固定格式、口语格式、多重复句和句群等。

（3）抓住机遇，乘势而为，提出新时期语法测试与教学"数量减半（定律）"，即每一级"四维基准"等级量化指标中都有"一组"与音节汉字词汇协调一致、精选对接的语法点"最低量"，构成规范性的《等级标准》"语法A类附录"。这是国家级《等级标准》一个重要的标志性特征。

（4）适度兼顾语法等级大纲的系统性。如，语素"前缀、后缀"一笔带过，主语、谓语、宾语兼顾到，大量具有实在意义的副词放在词汇教学中，成语也放在词汇教学中等。

（5）面向世界，面向未来，提升新时期语法教学与测试关联度，主张测试与教学协同创新，协调发展，更好地体现教学与测试的针对性和统一性，更好地发挥《等级标准》及其引领下的国家级HSK3.0积极的"指挥棒"作用。

总而言之，从1996年国家汉办标准《汉语水平等级标准和语法等级大纲》创新发展到拓展夯实形成2020年国家级《等级标准》规范性"语法A类附录"，这是富有开创性的实践，这个上升路径是汉语国际教育新学科的一次革故鼎新的历史性变革，是一个没有先例的新亮点、新规则。这是我们的历史责任和使命担当，为此，我们锲而不舍，知难而进，探寻储集24年。在目前阶段，在现有对外汉语语法教学体系研究和教材编写实践基础上，尽量依据对外汉语语法教学特点和外国学生习得规律，凝聚集体智慧，进行有针对性的优化，进行有选择性的整合，遵循大道至简的总原则和总要求，下决心顺应时代之需，更加细化解决三个具体问题：

第一，语法点的总量。语法教学最重要的不是数量，而是针对性和实效性。语法点在精不在多，开创"语法A类附录"不必"从头开始"，我们参照国家汉办《汉语水平等级标准和语法等级大纲》1168个语法点及相关的教学与测试有效成果，精简整合，提炼出572个语法点，实现了"数量减半"的目标。

第二，语法点的提取与整合。强调语法点"精要、好懂、管用"原则（张志公），博采众长、删繁就简，依据国内外有代表性和实用性的对外汉语语法研究成果及典范性的汉语水平考试试题等，不贪大求全，把握好度，取舍多做"综合折中"，多做"压缩归类"，多做"减法"。

第三，语法点的等级分布。强调基础性、常用性语法点，重点放在初等水平和中等水平阶段。我们最重要的参照系有两个：一是中国对外汉语教学长期的经验积累和代际传承，二是请专家对数套有广泛影响的成功教材范例进行定量统计分析、检视和比对，初等水平和中等水平阶段语法点占70%以上（在"语法A类附录"中占74%）。

开创"语法A类附录"是语法教学与测试顺势而为，适应新的现实，更有针对性、开放性、选择性、更加精密的一种重大实用性改革。我们的总体目标是为新时期语法教学和测试建立一种大道至简的新路子，提升汉语国际教育语法教学与测试的规范性、统一性和实效性，让外国学生学得简单、学得容易、学得有效，这也是一种相对标准，是现阶段更务实、更有效、更理性的选择。提升汉语国际教育语法教学与测试的标准化、规范化和国际化还要不断革新和优化。

参考文献

白乐桑，张丽.《欧洲语言共同参考框架》新理念对汉语教学的启示与推动——处于抉择关头的汉语教学 [J]. 世界汉语教学，2008（3）：58-73.

北京大学外国留学生中国语文专修班 编. 汉语教科书（上、下册）[M]. 时代出版社，1958.

陈瑞端，刘英林. 香港地区普通话教学与测试词表 [M]. 商务印书馆（香港）有限公司，2008.

国家对外汉语教学领导小组办公室 编. 高等学校外国留学生汉语教学大纲（短期强化）[M]. 北京语言文化大学出版社，2002.

国家对外汉语教学领导小组办公室 编. 高等学校外国留学生汉语教学大纲（长期进修 附件一）[M]. 北京语言文化大学出版社，2002.

国家对外汉语教学领导小组办公室汉语水平考试部（刘英林 主编）. 汉语水平词汇与汉字等级大纲 [M]，北京语言学院出版社，1992.

国家对外汉语教学领导小组办公室汉语水平考试部（刘英林 主编）. 汉语水平等级标准与语法等级大纲 [M]. 高等教育出版社，1996.

国家汉办，教育部社科司，《汉语国际教育用音节汉字词汇等级划分》课题组（刘英林，马箭飞 主编）. 汉语国际教育用音节汉字词汇等级划分（国家标准·应用解读本）[M]. 北京语言大学出版社，2010.

国家汉办 / 孔子学院总部. 新汉语水平考试大纲（1—6级）[M]. 商务印书馆，2010.

江新."认写分流、多认少写"汉字教学方法的实验研究 [J]. 世界汉语教学，2007（2）：91-97.

柯彼德. 汉语作为外语教学的语法体系急需修改的要点 [J]. 世界汉语教学，1991（2）：100-104.

孔子学院总部 / 国家汉办. 国际汉语教学通用课程大纲（修订版）[M]. 北京语言大学出版社，2014.

林焘.《汉语水平考试研究（续集）》序 [J]. 汉语学习，1995（2）：57.

刘英林. 普通话水平考试的理论思考与标准化 [J]. 中国语文，2001（1）：45-53.

刘英林 主编. 汉语水平考试（HSK）研究 [M]. 现代出版社，1989.

刘英林 主编. 汉语水平考试（HSK）研究：续集 [M]. 现代出版社，1994.

刘英林 主编. 汉语国际教育用词语声调组合及轻重音格式实用手册 [M]. 北京语言大学出版社，2019.

刘英林，马箭飞. 研制《音节和汉字词汇等级划分》探寻汉语国际教育新思维 [J]. 世界汉语教学，2010（1）：82-92.

刘英林，宋绍周. 汉语常用字词的统计与分级 [J]. 中国语文，1992（3）.

刘月华，潘文娱，故铧. 实用现代汉语语法 [M]. 商务印书馆，2001.

吕文华. 对外汉语教学语法探索（增订本）[M]. 北京语言大学出版社，2008.

欧洲理事会文化合作教育委员会 编. 欧洲语言共同参考框架：学习、教学、评估 [S] 刘骏，傅荣 主译. 外语教学与研究出版社，2008.

王还 主编. 对外汉语教学语法大纲 [M]. 北京语言学院出版社，1995.

杨寄洲 主编. 对外汉语教学初级阶段教学大纲 [M]. 北京语言文化大学出版社，1999.

张新生，李明芳. 汉语能力标准比较初探 [J]. 国际汉语教学研究，2019（1）：31-47.

中国对外汉语教学学会汉语水平等级标准研究小组. 汉语水平等级标准和等级大纲（试行）[M]. 北京语言学院出版社，1988.

中华人民共和国教育部. 义务教育语文课程标准（2011版）[M]. 北京师范大学出版社，2012.

使 用 说 明

《国际中文教育中文水平等级标准（国家标准·应用解读本）》共分三册，第一分册为《国际中文教育中文水平等级标准》（以下简称"《标准》"）的等级描述、音节表和汉字表（含手写汉字表），第二分册为《标准》的词汇表，第三分册为《标准》的附录 A（规范性）语法等级大纲。

一 《标准》的定位与用途

《标准》作为面向新时代的国家标准，是国际中文教育的顶层设计与基本建设，是一种标准化、规范化、系统化、精密化的等级标准体系，用以指导国际中文教育的教学、测试、学习与评估，具有多种用途和广泛的适应性。

《标准》的主要用途：

1. 国际中文教育进行总体设计、教材编写、课堂教学和课程测试的重要参照。
2. 中国国家级中文水平考试的主要命题依据。
3. 编制国际中文教育常用字典、词典及计算机音节库、字库、词库和语法库的重要参照。
4. 各种中文教学与学习创新型评价的基础性依据。
5. "互联网+"时代国际中文教育的各种新模式、新平台构建的重要依据。

二 关于《标准》整体框架的说明

1.《标准》提出了"三等九级"的新框架、新范式。其中初等、中等、高等为中文水平的整体界定与描述，从语言材料、社会交际、话题表达、交际策略、中国文化与跨文化交际能力、语言量化指标等角度进行总体说明。每一等中文水平整体描述之后，是本等细分下的三个级别的中文水平的详细描述。

2.《标准》遵循"等级质量""集成创新"新理念，"每一级"标准以"3＋5"规范化新路径呈现，配以"四维基准"的量化指标组合。"3"指言语交际能力、话题任务内容、语言量化指标三个层面，"5"指听、说、读、写、译五种语言基本技能，"四维基准"指衡量中文水平的音节、汉字、词汇、语法四种语言基本要素。

3.《标准》坚持定性描述与定量分析相结合的原则，既有简洁的、概括性的"模糊语言"进行的定性描述，又有明确的、阶梯性的"量化语言"进行的定量描述，如：阅读速度、篇幅长度等。

三 关于《标准》描述语的说明

（一）言语交际能力

言语交际能力的描述，是从综合运用各种技能在各种情境下就各类话题进行社会交际的角度进行说明的。描述语体系具有阶梯性、规范性、科学性。

（二）话题任务内容

根据教学与学习的难易度、适用度等，选取每一级最常用、最典型、最具代表性的话题，并结合所列话题，列举出较为具体、有实际指导意义、能将多种语言技能融合在一起的交际任务。话题任务说明中适当反映中国文化与跨文化交际的内容。

（三）语言量化指标

语言量化指标是由音节、汉字、词汇、语法"四维基准"构成的等级量化指标体系，每一级语言量化指标既标明本级别应掌握的语言要素数量，又标明本级别较上一级别新增的语言要素数量。高等的语言量化指标是包容统合在一起的，不再细分为七、八、九三个级别。

为适应世界各地中文教学多样化、本土化的需求，每一级的音节、汉字、词汇、语法各项量化指标在教学实践中可以灵活掌握，既可以从中替换5%左右的内容，也可以减少5%左右的内容。以一级汉字300字为例，可以替换5%（15个字），保持300字的总量不变；也可以将300字减少5%（15个字），即数量变为285字。再如，国名、地名、学校名、人名，以及当地具有文化特色的食品、用品、常用交际词语等，可在各级别语言量化指标的基础上适当替换；也可根据学习对象、教学需求的不同，适当降低本级别语言量化指标。

（四）五种语言基本技能

"听"的技能从语言知识、听力材料、认知能力、听力策略等维度进行说明。"说"的技能从语言要素的运用能力、话语组织能力、社会语言能力等维度进行说明。"读"的技能从语言知识、文本特点、理解能力、推断能力、阅读策略等维度进行说明。"写"的技能分为写字和写作两个方面，从手写汉字量、书写要求、书写速度等维度对写字能力进行说明，从语言表达的准确性、丰富性、得体性、恰当性等维度对写作能力进行说明。"译"的技能从中等水平开始作为第五项技能纳入言语交际能力维度之中，分为口译和笔译两个方面，从"在何种情景中""做什么交际任务""过程如何""结果如何"等维度进行说明，并将运用场合分为"非正式场合"和"正式场合"。

四 关于《标准》音节表的说明

1.《标准》音节表共收录1110个音节，包括《汉语国际教育用音节汉字词汇等级划分》（以下简称"《等级划分》"）的1095个基本音节中的1094个，替换掉一个（"zhèi [这]"替换为了"guo [过]"），还包括《等级划分》中的15个轻声字音节。

2. 根据《等级划分》普及化等级、中级、高级及高级"附录"三大等级音节数量，确定《标准》音节表初等、中等、高等音节数量，再将初等 608 个音节和中等新增 300 个音节，根据声韵组合规律、发音重点和难点、负荷汉字等情况划分到一——六级，每级音节数量分别为 269 个、199 个、140 个、116 个、98 个、86 个。高等新增 202 个音节不再细分级别。

3. 每一级别音节表呈现本级新增音节，并在音节后配以本级别"代表字"，以便于查找使用；按音序排列的音节表，标注了音节代表字及所在等级。个别音节有相同的代表字，如"zhòng"和"chóng"，代表字均为"重"，因为这两个音节所在级别均只有这一个汉字可供选择。

五 关于《标准》汉字表的说明

1.《标准》汉字表共收录 3000 个汉字，与《等级划分》3000 字完全一致。初等 900 字、中等新增 900 字、高等新增 1200 字分别与《等级划分》普及化等级、中级、高级及高级"附录"三大等级汉字数量对应，但对少数汉字（约 80 个）所在等级进行了调整。

2. 同时参考教育部中外语言交流合作中心的"国际中文教材编写指南"中字词频率统计、高频汉字表，以及国家语言文字工作委员会"现代汉语语料库"（2015）、《汉字应用水平等级及测试大纲（修订版）》（2016）、《中国语言生活状况报告》（2011—2019）等多种类型的资料，根据汉字的流通度、构词能力、书写难易度、文化内涵等因素，将初等和中等 1800 个汉字均分到一——六级，每级 300 字。高等新增 1200 字不再细分级别，其中有 29 个字是交际中常用的地名和姓氏用字。

3. 根据音节对应汉字的情况，将 3000 个汉字按 1110 个音节分级排列，形成分级同音字表，以方便读者了解音节、汉字的等级，以及同音字和多音字的情况。

4.《标准》提出"汉字认读与手写适度分离、手写汉字从少到多有序推进"的开放性、包容性新路向，将手写汉字表单独列出，共收录 1200 个汉字，含初等汉字表全部 900 字和从中等汉字表中选取的 300 字。根据汉字常用度、构词能力、构形特点和书写难易度等，将这 1200 字分为初、中、高三等，分别为 300 字、400 字、500 字。

六 关于《标准》词汇表的说明

（一）收录词语

1.《标准》词汇表共收录 11092 个词语，其中初等 2245 个、中等新增 3211 个、高等新增 5636 个，与《等级划分》普及化等级、中级、高级及高级"附录"三大等级的数量完全一致。

2. 参考《等级划分》普及化等级分档分层词汇表（2010）、"国际中文教材编写指南"高频词表、国家语言文字工作委员会"现代汉语语料库"（2015）、《义务教育常用词表（草案）》（2019）、《中国语言生活状况报告》（2011—2019）及《HSK 考试大纲》词汇表（2015）等相关资料，将初等和中等 5456 个词语根据词汇难度及使用频率，细分为——六级，每级词汇量分别为 500 个、772 个、973 个、1000 个、1071 个、1140 个。高等新增 5636 个词语不再细分级别。

3. 对少数词语（约 350 个）在《等级划分》中所在等级进行了调整，跨等调整的词语主要集中在初等和中等。初等出现的难度较大的连词、介词等向中等调整（如"不管""将""依据"等）；中等出现的较简单的名词、动词等调整到初等（如"搬家""动物园""饭馆""感冒""姓名"等）；注重体现书面语与口语的区别，相对口语化的词语在初等出现，书面色彩较强的词语则在中、高等出现（如"饭店""酒店""书店"出现在初等，"旅店"出现在中等，"连锁店""专卖店"出现在高等）；成语、习用语（如"耳目一新""废寝忘食""马后炮"）等也集中在高等出现。

4. 结合教学和使用实际情况，删掉了《等级划分》中的部分词语（约 50 个），其中包含一些现代社会生活中已不再常见和常用的词语（如"包干儿""大锅饭""公用电话""托儿所"等），相应补充了现代日常生活中常用的、代表新生事物的词语（如"大数据""二维码""人工智能""外卖""微信""正能量"等）。

5. 对《等级划分》中一些分列词条的兼类词进行了适当合并，如原来作为两个词条出现的"方（形）"和"方（名）"合并为一个词条，并在后面标注两个词性"方（形、名）"；原来作为两个词条出现的"根本（名、形）"和"根本（副）"合并为一个词条，并在后面标注三个词性"根本（副、形、名）"。

6. 《等级划分》中个别词条的不同词性或读音不同或意义有别，对这类词条进行了拆分。如作为一个词条出现的"编辑（动、名）"，因不同词性读音不同，将其分列为两个词条，分别为"编辑（动）biānjí"和"编辑（名）biānji"。

7. 在同一级别出现的音同形同而义不同的词语，若词性不同，且词义区分明显，则分立词条仅用数字角标加以区分，如二级词"省（名）"和"省（动）"，标注为"省^1"和"省^2"；若词性相同，且词义区分不明显，则分立词条用数字角标区分，并在词条后括号内加注例词，如：二级词"面（名、量）"和"面（名）"，标注为"面^1（见面）"和"面^2（面条儿）"。

8. 根据国家语言文字规范及《现代汉语词典（第 7 版）》《现代汉语规范词典（第 3 版）》等，对部分词语的书写形式进行了调整，如将"看做"改为"看作"、"拉拉队"改为"啦啦队"、"下工夫"改为"下功夫"、"执著"改为"执着"等。

（二）词语拼音

词汇表中词语拼音的拼写原则主要以《等级划分》为依据，同时参考国家语言文字规范及《现代汉语词典（第 7 版）》《现代汉语规范词典（第 3 版）》等，具体如下：

1. 必读轻声的音节不标声调，如"包子"标音为"bāozi"。

2. 一般轻读、间或重读的字，注音时标声调，同时在该字的拼音前加上圆点，如"道理"标音为"dào·lǐ"。

3. 儿化音采用基本形式后面加"r"的方式，如"玩儿"标音为"wánr"。

4. "一、不"注音时标变调，如"一样"标音为"yíyàng"、"不必"标音为"búbì"。

5. 离合词的两个音节用"∥"隔开，如"见面"标音为"jiàn∥miàn"；若既为离合词，又有轻读、间或重读的字，则分别标注，如"值得"标音为"zhí∥·dé"。

6. 专有名词的首字母大写，如"中国"标音为"Zhōngguó"；由几个词组成的专有名词，每个词的首字母大写，如"端午节"标音为"Duānwǔ Jié"。

7. 短语、习用语及一些常用结构，拼音按词分写，如"不耐烦"标音为"bú nàifán"。

8. 成语及四字短语等依据国家语言文字规范，根据词语的内部结构，或两两连写，中间加连接号"-"，如"半信半疑 bànxìn-bànyí"；或全部连写，如"爱不释手 àibúshìshǒu"；或各字拼音间加连接号"-"，如"衣食住行 yī-shí-zhù-xíng"。

（三）词类标注

1. 词类划分主要参考《现代汉语词典（第7版）》，同时兼顾国际中文教学特点，共分为12类：名词、动词、形容词、数词、量词、代词、副词、介词、连词、助词、叹词、拟声词。

2. 词汇表只标注词语的常用词性，如果一个词具有两个或两个以上的词性，则按照使用频率标注不同的词性，使用频率高的词性在前，使用频率低的词性在后。如一级词"包"，词性依次标为"名、量、动"。词性标注一般不超过三个。

3. 以下四类词语不标注词性：（1）离合词；（2）成语、习用语；（3）为方便教学而整体选入的常见、常用结构，如"打交道"；（4）数量结构，如"一些"。

（四）其他符号

1. "|"表示前后两种形式都可以。如"爸爸|爸"，表示"爸爸"或者"爸"都可以。

2. "（ ）"表示三种情况：第一种情况为词缀的例词，如"初（初一）"，括号中的例词用仿宋字体表示；第二种情况为词语中可以省略的内容，如"好（不）容易"，也可以说"好容易"，括号中的文字用宋体表示；第三种情况为词语的义项说明，如"称"在二级和五级都出现了，二级为"称（称一称）"，五级为"称（称为）"，括号中的义项说明用楷体表示。

3. 带"儿化音"的词语在本词后加注小号字"儿"，如"玩儿"。

七 关于《标准》附录A（规范性）语法等级大纲的说明

1. 语法等级大纲是具有开创性的实践，主要以《汉语水平等级标准与语法等级大纲》（1996）为依据，同时参考了《对外汉语教学语法大纲》（1995）、《国际汉语教学通用课程大纲》（2014）、《HSK考试大纲》（2015）等资料，并结合国际中文教育70年教学经验和教学语法研究成果，经过反复权衡、仔细对比筛选而成。

2. 语法等级大纲精选了572个语法点，有机融入到初、中、高三等。初等语法点总量为210个，内部细分为三级，对应《标准》一——三级，语法点数量分别为48个、81个、81个；中等新增语法点总量为214个，内部细分为三级，对应《标准》四—六级，语法点数量分别为76个、71个、67个；高等新增语法点总量为148个，内部不再细分级别。

3. 语法等级大纲共12大类语法项目，包括语素、词类、短语、固定格式、句子成分、句子的类型、动作的态、特殊表达法、强调的方法、提问的方法、口语格式、句群。在具体语法项目的提取与整合方面，突出针对性和实用性，对语素、短语、句子成分、句子的类型等语法项目简略呈现，而对意义相对较"虚"、学习者不易理解和掌握的语法项目（如词类）作为重点呈现。另外，特殊表达法、提问的方法、口语格式等教学重点与难点也是语法等级大纲的重要内容。

4. 为便于读者理解，语法等级大纲呈现语法点时，力求形成一套系统的语法符号体系。

（1）语法结构公式中涉及词性的表述时，用"动词""形容词"等文字表述，如"主语＋把＋宾语＋动词＋在/到＋处所"。

（2）使用"A、B"表示词语重叠、句式中前后相同的两项以及四字格和固定格式中性质相同的两项，如：①"ABAB"表示动词的重叠，可以说"介绍介绍"；②"A比B＋形容词"表示比较的对象，可以说"我朋友比我高"；③"大A大B"表示性质相同的两项，可以说"大吃大喝""大吵大闹"。

（3）使用"X、Y"表示口语格式中可以替换的成分，如"什么X的Y的"，可以说"什么你的我的""什么好的坏的"。

5. 为便于读者使用，每个语法点前既标示了总体的序号，也在方括号中标示了该语法点所在级别的序号。每个语法点均配有从不同角度展示用法的典型例句，例句用词均在本等级词汇表内。

国际中文教育中文水平等级标准

初　　等

能够基本理解简单的语言材料，进行有效的社会交际。能够完成日常生活、学习、工作、社会交往等有限的话题表达，用常用句型组织简短的语段，完成简单的交际任务。能够运用简单的交际策略辅助日常表达。初步了解中国文化知识，具备初步的跨文化交际能力。完成初等阶段的学习，应掌握音节608个、汉字900个、词语2245个、语法点210个，能够书写汉字300个。

1. 一 级 标 准

言语交际能力　具备初步的听、说、读、写能力。能够就最熟悉的话题进行简短或被动的交流，完成最基本的社会交际。

话题任务内容　话题涉及个人信息、日常起居、饮食、交通、兴趣爱好等。能够完成与之相关的交际任务，例如：能够对不同交际对象使用最简单的礼貌用语；能够辨识公共环境中的某些简单信息并询问确认。

语言量化指标　音节269个，汉字300个，词语500个，语法点48个。

1.1 听

能够听懂涉及一级话题任务内容、以词语或单句为主的简短对话（80字以内），对话发音标准、语音清晰、语速缓慢（不低于100字/分钟）。能够通过图片、实物等辅助手段理解基本信息。

1.2 说

能够掌握一级语言量化指标的音节，发音基本正确。能够使用本级所涉及的词汇和语法，完成相关的话题表达和交际任务。具备初步的口头表达能力，能够用词语及常用单句进行简单问答。

1.3 读

能够准确认读一级语言量化指标涉及的音节、汉字和词汇。能够借助图片、拼音等，读懂涉及本级话题任务内容的、语法不超出本级范围的语言材料（100字以内），阅读速度不低于80字/分钟。能够识别日常生活中最常见的标识，从简单的便条、表格、地图中获取最基本的信息。

1.4 写

能够掌握初等手写汉字表中的汉字100个。基本了解汉字笔画和笔顺的书写规则以及最常见的标点符号的用法。能够基本正确地抄写汉字，速度不低于10字/分钟。具备最基本的书面表达能力，能够使用简单的词语和常用单句，填写最基本的个人信息，书写便条。

2. 二 级 标 准

言语交际能力　具备基本的听、说、读、写能力。能够就较熟悉的话题进行简短的交流，完成简单的社会交际。

话题任务内容 话题涉及基本社交、家庭生活、学习安排、购物、用餐、个人感受等。能够完成与之相关的交际任务，例如：能够和朋友在中餐馆点餐并交流喜好；能够辨识、填写入学表格中的信息。

语言量化指标 音节468个（新增199），汉字600个（新增300），词语1272个（新增772），语法点129个（新增81）。

2.1 听

能够听懂涉及二级话题任务内容、以单句为主或包含少量简单复句的对话或一般性讲话（150字以内），对话或讲话发音标准、语音清晰、语速较慢（不低于140字/分钟）。能够通过手势、表情等辅助手段理解基本信息。

2.2 说

能够掌握二级语言量化指标的音节，发音基本正确。能够使用本级所涉及的词汇和语法，完成相关的话题表达和交际任务。具备基本的口头表达能力，能够以简单句进行简短的问答、陈述以及社交性谈话。

2.3 读

能够准确认读二级语言量化指标涉及的音节、汉字和词汇。能够借助拼音、插图、学习词典等，读懂涉及本级话题任务内容的、语法不超出本级范围的简短语言材料（200字以内），阅读速度不低于100字/分钟。能够从介绍性、叙述性等语言材料中获取具体的目标信息，基本读懂一般的通知、电子消息等。

2.4 写

能够掌握初等手写汉字表中的汉字200个。能够较好地掌握汉字笔画和笔顺的书写规则以及常见标点符号的用法。能够较为正确地抄写汉字，速度不低于15字/分钟。具备初步的书面表达能力，能够使用简单的句子，在规定时间内，介绍与个人生活或学习等密切相关的基本信息，字数不低于100字。

3. 三 级 标 准

言语交际能力 具备一般的听、说、读、写能力。能够就基本的日常生活、学习和工作话题进行简短的交流，完成日常的社会交际。

话题任务内容 话题涉及出行经历、课程情况、文体活动、节日习俗、教育、职业等。能够完成与之相关的交际任务，例如：能够与人交流有关春节等传统节日的出行安排及节日习俗；能够发出比较正式的口头或书面邀请，回应别人的邀请。

语言量化指标 音节608个（新增140），汉字900个（新增300），词语2245个（新增973），语法点210个（新增81）。

3.1 听

能够听懂涉及三级话题任务内容、以较长单句和简单复句为主的对话或一般性讲话（300字以内），对话或讲话发音基本标准、语音清晰、语速接近正常（不低于180字/分钟）。能够通过语音、语调、语速的变化等辅助手段理解和获取主要信息。

3.2 说

能够掌握三级语言量化指标的音节，发音基本正确。能够使用本级所涉及的词汇和语法，完成相关的话题表达和交际任务。具备一般的口头表达能力，能够使用少量较为复杂的句式进行简单交流或讨论。

3.3 读

能够准确认读三级语言量化指标涉及的音节、汉字和词汇。能够读懂涉及本级话题任务内容的、语法基本不超出本级范围的语言材料（300字以内），阅读速度不低于120字/分钟。能够理解简单复句，读懂叙述性、说明性等语言材料，理解文章大意和细节信息。能够利用字典、词典等，理解生词意义。初步具备略读、跳读等阅读技能。

3.4 写

能够掌握初等手写汉字表中的汉字300个。能够较为熟练地掌握汉字笔画和笔顺的书写规则以及各类标点符号的用法。能够正确地抄写汉字，速度不低于20字/分钟。具备一般的书面表达能力，能够进行简单的书面交流，在规定时间内，书写邮件、通知及叙述性的短文等，字数不低于200字。语句基本通顺，表达基本清楚。

中　等

能够理解多种主题的一般语言材料，较为流畅地进行社会交际。能够就日常生活、工作、职业、社会文化等领域的较为复杂的话题进行基本的成段表达。能够运用常见的交际策略。基本了解中国文化知识，具备基本的跨文化交际能力。完成中等阶段的学习，应掌握音节908个（新增300）、汉字1800个（新增900）、词语5456个（新增3211）、语法点424个（新增214），能够书写汉字700个（新增400）。

4. 四级标准

言语交际能力　具备一定的听、说、读、写能力和初步的翻译能力。能够就较复杂的日常生活、学习、工作等话题进行基本完整、连贯、有效的社会交际。

话题任务内容　话题涉及社区生活、健康状况、校园生活、日常办公、动物、植物等。能够完成与之相关的交际任务，例如：能够在就医时简单说明病情，与医生沟通；能够编写简单的兼职广告，回复对方的问询。

语言量化指标　音节724个（新增116），汉字1200个（新增300），词语3245个（新增1000），语法点286个（新增76）。

4.1 听

能够听懂涉及四级话题任务内容的非正式对话或讲话（400字以内），对话或讲话发音自然、略有方音、语速正常（180—200字/分钟）。能够规避其中不必要的重复、停顿等因素的影响，准确获取主要信息。能够听出言外之意，意识到对话或讲话中涉及的文化因素。

4.2 说

能够掌握四级语言量化指标的音节，发音基本准确，语调比较自然。能够使用本级所涉及的词汇和语法，完成相关的话题表达和交际任务。具备初步的成段表达能力，能够使用一些比较复杂的句式叙述事件发展、描述较为复杂的情景、简要陈述观点和表达感情，进行一般性交谈，表达比较流利，用词比较准确。

4.3 读

能够准确认读四级语言量化指标涉及的音节、汉字和词汇。能够读懂涉及本级话题任务内容的、语法基本不超出本级范围的语言材料（500字以内），阅读速度不低于140字/分钟。能够理解一般复句，读懂叙述性、说明性等语言材料及简单的议论文，理解主要内容，把握关键信息，并做出适当推断，基本了解所涉及的文化因素。初步掌握快速阅读、猜测联想、跳跃障碍等阅读技能。

4.4 写

能够掌握中等手写汉字表中的汉字100个。能够基本掌握汉字的结构特点。能够使用简单的句式进行语段表达，在规定时间内，完成简单的叙述性、说明性等语言材料的写作，字数不低于300字。用词基本正确，句式有一定的变化，内容基本完整，表达比较清楚。能够完成常见的应用文体写作，格式基本正确。

4.5 译

具备初步的翻译能力，能够就本级话题任务内容进行翻译，内容基本完整，能够意识到翻译中涉及的文化因素。能够完成非正式场合的接待和简单陪同口译任务，表达基本流利。能够翻译简单的叙述性和说明性等书面语言材料，译文大体准确。

5. 五 级 标 准

言语交际能力　具备一定的听、说、读、写能力和基本的翻译能力。能够就复杂的生活、学习、工作等话题进行较为完整、顺畅、有效的社会交际。

话题任务内容　话题涉及人际关系、生活方式、学习方法、自然环境、社会现象等。能够完成与之相关的交际任务，例如：能够就生活中常见的社会现象进行交流或沟通看法；能够回复邮件，介绍自己的学习方法及建议。

语言量化指标　音节822个（新增98），汉字1500个（新增300），词语4316个（新增1071），语法点357个（新增71）。

5.1 听

能够听懂涉及五级话题任务内容的非正式和较为正式的对话或讲话（500字以内），对话或讲话发音自然、略有方音、语速正常（200—220字/分钟）。能够规避嘈杂的环境、不必要的重复和停顿等因素的影响，准确获取主要信息及部分细节内容。能够基本理解对话或讲话中涉及的文化因素。

5.2 说

能够掌握五级语言量化指标的音节，发音基本准确，语调比较自然。能够使用本级所涉及的词汇和语法，完成相关的话题表达和交际任务。具备基本的成段表达能力，能够使用比较复杂的句式进行交谈，较为详细地描述事件，完整地发表个人意见，连贯表达较为复杂的思想感情，用词恰当，具有一定的逻辑性。

5.3 读

能够准确认读五级语言量化指标涉及的音节、汉字和词汇。能够读懂涉及本级话题任务内容的、语法基本不超出本级范围的语言材料（700字以内），阅读速度不低于160字/分钟。能够理解复杂的复句，读懂叙述性、说明性、议论性等语言材料，理解、概括语言材料的中心意思或论点论据，并进行逻辑推断，较好理解所涉及的文化因素。较好地掌握速读、跳读、查找信息等阅读技能。

5.4 写

能够掌握中等手写汉字表中的汉字250个。能够分析常见汉字的结构。能够使用较为复杂的句式进行语段表达，在规定时间内，完成一般的叙述性、说明性及简单的议论性等语言材料的写作，字数不低于450字。用词较为恰当，句式基本正确，内容比较完整，表达较为通顺。能够完成一般的应用文体写作，格式正确，表达基本规范。

5.5 译

具备基本的翻译能力，能够就本级话题任务内容进行翻译，内容完整，能够对翻译中涉及的文化因素进行基本处理。能够完成非正式场合的简单交替传译任务，表达比较流利。能够翻译一般的叙述性、说明性或简单的议论性等书面语言材料，译文比较准确。

6. 六 级 标 准

言语交际能力 具备一定的听、说、读、写能力和一般的翻译能力。能够就一些专业领域的学习和工作话题进行较为丰富、流畅、得体的社会交际。

话题任务内容 话题涉及社会交往、公司事务、矛盾纠纷、社会新闻、中外比较等。能够完成与之相关的交际任务，例如：能够在非正式场合谈论历史、文化等方面的中外差异；能够大致读懂社会新闻，做出评论。

语言量化指标 音节908个（新增86），汉字1800个（新增300），词语5456个（新增1140），语法点424个（新增67）。

6.1 听

能够听懂涉及六级话题任务内容的对话或讲话（600字以内），对话或讲话发音自然、略有方音、语速正常或稍快（220—240字/分钟）。能够规避话语中的语病、修正等因素的影响，较为准确地理解说话者的真实意图。能够基本理解对话或讲话中涉及的文化内容。

6.2 说

能够掌握六级语言量化指标的音节，发音基本准确，语调比较自然。能够使用本级所涉及的词汇和语法，完成相关的话题表达和交际任务。具备一般的成段表达能力，能够准确使用复杂的句式详细描述事件和场景，进行较为流利的讨论和简单的协商，较充分地表达个人见解和思想感情，表达顺畅，用词丰富，基本得体，逻辑性较强。

6.3 读

能够准确认读六级语言量化指标涉及的音节、汉字和词汇。能够读懂涉及本级话题任务内容的、语法基本不超出本级范围的语言材料（900字以内），阅读速度不低于180字/分钟。能够厘清语言材料的结构层次，准确理解内容，撷取主要论点和信息；能够通过上下文猜测词义、推断隐含信息，基本理解所涉及的文化内容。具有较强的跳读、查找信息、概括要点等阅读技能。

6.4 写

能够掌握中等手写汉字表中的汉字400个。能够较为熟练地分析汉字的结构。能够使用较长和较为复杂的句式进行语段表达，在规定时间内，完成常见的叙述性、说明性、议论性等语言材料的写作，字数不低于600字。用词恰当，句式正确，内容完整，表达通顺、连贯。能够运用常见的修辞方法。能够完成多种应用文体写作，格式正确，表达规范。

6.5 译

具备一般的翻译能力，能够就本级话题任务内容进行翻译，内容完整，符合中文表达习惯，能够对翻译中涉及的文化内容进行处理。能够完成非正式场合的口译任务，表达顺畅，能够及时纠正或重译。能够翻译常见的叙述性、说明性、议论性等书面语言材料，译文准确。

高 等

能够理解多种主题和体裁的复杂语言材料，进行深入的交流和讨论。能够就社会生活、学术研究等领域的复杂话题进行规范得体的社会交际，逻辑清晰，结构严谨，篇章组织连贯合理。能够灵活运用各种交际策略。深入了解中国文化知识，具备国际视野和跨文化交际能力。完成高等阶段的学习，应掌握音节1110个（新增202）、汉字3000个（新增1200）、词语11092个（新增5636）、语法点572个（新增148），能够书写汉字1200个（新增500）。

高等（七—九级）**语言量化指标**不再按级别细分。

7. 七 级 标 准

言语交际能力 具备良好的听、说、读、写能力和初步的专业翻译能力。能够就较为广泛和较高层次的话题进行基本规范、流利、得体的社会交际。

话题任务内容 话题涉及社交礼仪、科学技术、文艺、体育、心理情感、专业课程等。能够完成与之相关的交际任务，例如：能够在比较正式的会议上，与参会者进行交流；能够基本读懂专业课程的学习资料，完成课程作业。

7.1 听

能够听懂涉及七级话题任务内容、语速正常或较快的一般性讲座和社会新闻（800字左右）。能够基本不受环境等因素的干扰，较为准确地把握主要事实和观点，理解其中的逻辑结构。能够基本理解所涉及的社会文化内涵。

7.2 说

能够运用高等语言量化指标的音节、词汇和语法，完成本级所涉及的话题表达和交际任务。具备初步的语篇表达能力，能够灵活使用复杂的句式表达个人见解，进行讨论或辩论，内容较为充实，表达流畅，语句连贯，逻辑性强。发音准确，语调自然。能够根据交际场景调整表达方式，语言表达得体。能够使用修辞手段增强口头表达效果，体现一定的跨文化交际意识。

7.3 读

能够准确认读高等语言量化指标涉及的音节、汉字和词汇。能够读懂涉及本级话题任务内容的各类体裁的文章，阅读速度不低于200字/分钟。对中文的思维与表达习惯有一定理解与掌握，能够准确把握语篇的结构关系，对语篇内容进行分析、判断与逻辑推理，能够理解所涉及的文化内容。掌握各种阅读技能，基本能够独立地检索、查找所需信息。

7.4 写

能够手写高等语言量化指标要求书写的汉字。能够撰写一定篇幅的应用文、说明文、议论文和专业论文。观点基本明确，层次基本清晰，语句通顺，格式正确，表达得体，符合逻辑。能够正确运用多种修辞方法。

7.5 译

具备初步的专业翻译能力，能够就本级话题任务内容进行翻译，内容完整准确。能够完成正式场合的交替传译和陪同口译任务，表达流畅。能够翻译一定篇幅的应用文、说明文、议论文等，译文基本忠实原文，格式正确。

8. 八 级 标 准

言语交际能力 具备良好的听、说、读、写能力和基本的专业翻译能力。能够就各类高层次或专业话题进行较为规范、流利、得体的社会交际。

话题任务内容 话题涉及语言文字、政治经济、法律事务、哲学、历史等。能够完成与之相关的交际任务，例如：能够就哲学、宗教、时事等话题进行比较有深度的讨论和交流；能够在遇到纠纷时表达观点，提出质疑，申诉理由。

8.1 听

能够听懂涉及八级话题任务内容、语速正常或较快的专业性讲座和专题新闻（800字左右）。能够不受环境等因素的干扰，跳跃障碍，总结概括要点，准确把握细节，理解逻辑结构。能够较好地理解所涉及的社会文化内涵。

8.2 说

能够运用高等语言量化指标的音节、词汇和语法，完成本级所涉及的话题表达和交际任务。具备较好的语篇表达能力和灵活运用语言的能力。能够进行演讲、即兴发言或答辩，充分而得体地表达自己的见解和思想，发音准确，语调自然，表达流畅，逻辑性强。能够恰当运用修辞手段增强口头表达效果，体现一定的跨文化交际能力。

8.3 读

能够准确认读高等语言量化指标涉及的音节、汉字和词汇。能够读懂涉及本级话题任务内容的各类体裁的文章，阅读速度不低于220字/分钟。基本掌握中文的思维与表达习惯，熟练掌握各种阅读技能，准确理解文章的思想与社会文化内涵，能够发现文章的语言问题、逻辑缺陷等。

8.4 写

能够手写高等语言量化指标要求书写的汉字。能够撰写篇幅较长的应用文、说明文、议论文和专业论文。观点明确，层次清晰，语句流畅，格式正确，表达得体，逻辑清楚。能够正确运用比较丰富的成语、习用语和多种修辞方法。

8.5 译

具备基本的专业翻译能力，能够就本级话题任务内容进行翻译，内容完整准确。能够完成正式场合专业内容的交替传译，表达流畅，符合中文表达习惯。能够翻译篇幅较长的应用文、说明文、议论文等，译文准确，修辞手段和语言风格忠实原文。

9. 九 级 标 准

言语交际能力　具备良好的听、说、读、写能力和专业翻译能力。能够综合运用各种技能，在各种情境下，就各类话题进行规范、流利、得体的社会交际。

话题任务内容　话题涉及学术研究、政策法规、商业贸易、国际事务等。能够完成与之相关的交际任务，例如：能够参与正式场合的商业谈判，与对方交流辩论；能够读懂政策法规、研究报告等正式语体的文件，充分得体地发表评论。

9.1 听

能够听懂涉及九级话题任务内容、语速正常或较快的各类语言材料（800字左右）。能够分析、推断所需信息，准确理解所涉及的社会文化内涵。

9.2 说

能够运用高等语言量化指标的音节、词汇和语法，完成本级所涉及的话题表达和交际任务。具备良好的语篇表达能力和灵活运用语言的能力。能够完整准确、流畅得体地表达思想和见解，内容充实，逻辑严密。发音准确，语调自然。能够灵活运用修辞手段增强口头表达效果，体现较强的跨文化交际能力。

9.3 读

能够准确认读高等语言量化指标涉及的音节、汉字和词汇。能够读懂各类题材、体裁的文章，阅读速度不低于240字/分钟。能够熟练掌握中文的思维与表达习惯，综合运用各种阅读技能，深刻理解文章的思想与社会文化内涵。

9.4 写

能够手写高等语言量化指标要求书写的汉字。能够完成学位论文及多种文体的写作。观点明确，语篇连贯，格式正确，表达得体，逻辑性强。能够正确使用各种复杂句式、综合运用多种修辞方法，言之有物，富有文采。

9.5 译

具备专业翻译能力，能够熟练地就本级话题任务内容进行翻译，内容完整准确。能够完成正式场合专业内容的同声传译任务，表达流畅。能够翻译各种文体的文章，译文通顺，格式正确，语篇连贯，修辞手段和语言风格符合原文。

# 国际中文教育中文水平等级标准音节表
（含"代表字"）

初等（608 个）

一级音节（269 个）

序号	音节	代表字		序号	音节	代表字		序号	音节	代表字
1	ài	爱		33	cuò	错		66	gē	哥
2	bā	八		34	dá	答		67	gè	个
3	bà	爸		35	dǎ	打		68	gěi	给
4	ba	吧		36	dà	大		69	gēn	跟
5	bái	白		37	dàn	蛋		70	gōng	工
6	bǎi	百		38	dào	到		71	guān	关
7	bān	班		39	dé	得		72	guǎn	馆
8	bàn	半		40	de	的		73	guì	贵
9	bāng	帮		41	děng	等		74	guó	国
10	bāo	包		42	dì	弟		75	guǒ	果
11	bēi	杯		43	diǎn	点		76	guò	过
12	běi	北		44	diàn	电		77	hái	孩
13	bèi	备		45	dōng	东		78	hàn	汉
14	běn	本		46	dòng	动		79	hǎo	好
15	bǐ	比		47	dōu	都		80	hào	号
16	biān	边		48	dú	读		81	hē	喝
17	bié	别		49	duì	对		82	hé	和
18	bìng	病		50	duō	多		83	hěn	很
19	bù	不		51	è	饿		84	hòu	后
20	cài	菜		52	ér	儿		85	huā	花
21	chá	茶		53	èr	二		86	huà	话
22	chà	差		54	fàn	饭		87	huài	坏
23	cháng	常		55	fāng	方		88	huān	欢
24	chǎng	场		56	fáng	房		89	huán	还
25	chàng	唱		57	fàng	放		90	huí	回
26	chē	车		58	fēi	非		91	huì	会
27	chī	吃		59	fēn	分		92	huǒ	火
28	chū	出		60	fēng	风		93	jī	机
29	chuān	穿		61	fú	服		94	jǐ	几
30	chuáng	床		62	gān	干		95	jì	记
31	cì	次		63	gàn	干		96	jiā	家
32	cóng	从		64	gāo	高		97	jià	假
				65	gào	告		98	jiān	间

99	jiàn	见	138	mèi	妹	177	shǎo	少
100	jiāo	教	139	mén	门	178	shào	绍
101	jiào	叫	140	men	们	179	shéi	谁
102	jiě	姐	141	mǐ	米	180	shēn	身
103	jiè	介	142	miàn	面	181	shén	什
104	jīn	今	143	míng	名	182	shēng	生
105	jìn	进	144	ná	拿	183	shī	师
106	jīng	京	145	nǎ	哪	184	shí	十
107	jìng	净	146	nà	那	185	shì	是
108	jiǔ	九	147	nǎi	奶	186	shǒu	手
109	jiù	就	148	nán	男	187	shū	书
110	jué	觉	149	nǎo	脑	188	shù	树
111	kāi	开	150	ne	呢	189	shuí	谁
112	kàn	看	151	néng	能	190	shuǐ	水
113	kǎo	考	152	nǐ	你	191	shuì	睡
114	kě	渴	153	nián	年	192	shuō	说
115	kè	课	154	nín	您	193	sì	四
116	kǒu	口	155	niú	牛	194	sòng	送
117	kuài	快	156	nǚ	女	195	sù	诉
118	lái	来	157	páng	旁	196	suì	岁
119	lǎo	老	158	pǎo	跑	197	tā	他
120	le	了	159	péng	朋	198	tài	太
121	lèi	累	160	piào	票	199	tǐ	体
122	lěng	冷	161	qī	七	200	tiān	天
123	lǐ	里	162	qǐ	起	201	tiáo	条
124	liǎng	两	163	qì	气	202	tīng	听
125	líng	零	164	qián	前	203	tóng	同
126	liù	六	165	qǐng	请	204	tú	图
127	lóu	楼	166	qiú	球	205	wài	外
128	lù	路	167	qù	去	206	wán	玩
129	mā	妈	168	rè	热	207	wǎn	晚
130	mǎ	马	169	rén	人	208	wǎng	网
131	ma	吗	170	rèn	认	209	wàng	忘
132	mǎi	买	171	rì	日	210	wén	文
133	màn	慢	172	ròu	肉	211	wèn	问
134	máng	忙	173	sān	三	212	wǒ	我
135	máo	毛	174	shān	山	213	wǔ	五
136	me	么	175	shāng	商	214	xī	西
137	méi	没	176	shàng	上	215	xí	习

216	xǐ	洗	234	yào	要	252	zhǎo	找
217	xì	系	235	yé	爷	253	zhè	这
218	xià	下	236	yě	也	254	zhe	着
219	xiān	先	237	yè	页	255	zhēn	真
220	xiàn	现	238	yī	一	256	zhèng	正
221	xiǎng	想	239	yǐng	影	257	zhī	知
222	xiǎo	小	240	yòng	用	258	zhōng	中
223	xiào	笑	241	yǒu	有	259	zhòng	重
224	xiē	些	242	yòu	右	260	zhù	住
225	xiě	写	243	yǔ	雨	261	zhǔn	准
226	xiè	谢	244	yuán	元	262	zhuō	桌
227	xīn	新	245	yuǎn	远	263	zǐ	子
228	xīng	星	246	yuàn	院	264	zì	字
229	xíng	行	247	yuè	月	265	zǒu	走
230	xìng	兴	248	zài	在	266	zuì	最
231	xiū	休	249	zǎo	早	267	zuó	昨
232	xué	学	250	zěn	怎	268	zuǒ	左
233	yàng	样	251	zhàn	站	269	zuò	坐

二级音节（199个）

序号	音节	代表字	序号	音节	代表字	序号	音节	代表字
1	a	啊	36	duàn	段	72	jié	节
2	ān	安	37	fā	发	73	jǔ	举
3	bǎn	板	38	fǎ	法	74	jù	句
4	bǎo	饱	39	fà	发	75	kǎ	卡
5	bào	报	40	fèn	份	76	kāng	康
6	bì	必	41	fù	复	77	kào	靠
7	biàn	变	42	gāi	该	78	kē	科
8	biǎo	表	43	gǎi	改	79	kōng	空
9	cái	才	44	gǎn	感	80	kòng	空
10	cān	参	45	gāng	刚	81	kū	哭
11	cǎo	草	46	gèng	更	82	lā	拉
12	céng	层	47	gòng	共	83	lán	蓝
13	chāo	超	48	gǒu	狗	84	lè	乐
14	chén	晨	49	gòu	够	85	lí	离
15	chēng	称	50	gù	故	86	lì	利
16	chéng	成	51	guàn	惯	87	liǎn	脸
17	chóng	重	52	guǎng	广	88	liàn	练
18	chǔ	楚	53	guo	过	89	liáng	凉
19	chù	处	54	hǎi	海	90	liàng	亮
20	chuán	船	55	hǎn	喊	91	liú	留
21	chuī	吹	56	háng	行	92	lǚ	旅
22	chūn	春	57	hēi	黑	93	lǜ	绿
23	cí	词	58	hóng	红	94	lùn	论
24	dā	答	59	hū	忽	95	mài	卖
25	dài	带	60	hú	湖	96	mǎn	满
26	dān	单	61	hù	护	97	māo	猫
27	dāng	当	62	huàn	换	98	mò	末
28	dǎo	倒	63	huáng	黄	99	mù	目
29	dēng	灯	64	huó	活	100	niǎo	鸟
30	dī	低	65	huò	或	101	nòng	弄
31	diào	掉	66	jí	级	102	nǔ	努
32	dìng	定	67	jiǎ	假	103	pá	爬
33	dǒng	懂	68	jiǎn	检	104	pà	怕
34	dù	度	69	jiǎng	讲	105	pái	排
35	duǎn	短	70	jiǎo	角	106	pèng	碰
			71	jiē	接	107	piān	篇

二级音节

108	pián	便	139	suǒ	所	170	yǎng	养
109	piàn	片	140	táng	堂	171	yāo	要
110	píng	平	141	tǎo	讨	172	yí	宜
111	pǔ	普	142	tào	套	173	yǐ	以
112	qí	其	143	tè	特	174	yì	意
113	qiān	千	144	téng	疼	175	yīn	因
114	qiáng	墙	145	tí	题	176	yín	银
115	qiě	且	146	tiě	铁	177	yìn	印
116	qīng	轻	147	tíng	停	178	yīng	应
117	qíng	情	148	tǐng	挺	179	yíng	迎
118	qiū	秋	149	tōng	通	180	yìng	应
119	qǔ	取	150	tóu	头	181	yǒng	永
120	quán	全	151	tuī	推	182	yóu	由
121	què	确	152	tuǐ	腿	183	yú	鱼
122	rán	然	153	wàn	万	184	yù	育
123	ràng	让	154	wáng	王	185	yún	云
124	rú	如	155	wéi	为	186	yùn	运
125	rù	入	156	wèi	位	187	zán	咱
126	sè	色	157	wēn	温	188	zāng	脏
127	shěng	省	158	wù	物	189	zhǎng	长
128	shǐ	使	159	xiāng	相	190	zhào	照
129	shōu	收	160	xiàng	向	191	zhě	者
130	shóu	熟	161	xié	鞋	192	zhí	直
131	shòu	受	162	xìn	信	193	zhǐ	纸
132	shú	熟	163	xū	须	194	zhōu	周
133	shǔ	数	164	xǔ	许	195	zhǔ	主
134	shùn	顺	165	xuǎn	选	196	zhuāng	装
135	sī	思	166	xuě	雪	197	zū	租
136	suàn	算	167	yán	言	198	zǔ	组
137	suī	虽	168	yǎn	眼	199	zuǐ	嘴
138	suí	随	169	yáng	阳			

三级音节（140个）

序号	音节	代表字	36	hā	哈	72	pài	派
1	àn	按	37	hài	害	73	pàn	判
2	bǎ	把	38	huá	华	74	pàng	胖
3	biāo	标	39	hūn	婚	75	pèi	配
4	bō	播	40	jiāng	将	76	pī	批
5	bǔ	补	41	jǐn	仅	77	pí	皮
6	cǎi	采	42	jǐng	景	78	pǐn	品
7	chǎn	产	43	kā	咖	79	pò	破
8	cháo	朝	44	kǒng	恐	80	qiáo	桥
9	chǎo	吵	45	kǔ	苦	81	qiǎo	巧
10	chèn	衬	46	kù	裤	82	qiè	切
11	chí	持	47	kuàng	况	83	qīn	亲
12	chōng	充	48	kùn	困	84	qìng	庆
13	chú	除	49	làng	浪	85	qū	区
14	chuàng	创	50	lián	连	86	quē	缺
15	cǐ	此	51	liǎo	了	87	qún	群
16	cūn	村	52	liè	烈	88	réng	仍
17	cún	存	53	lǐng	领	89	róng	容
18	dāo	刀	54	lìng	另	90	sài	赛
19	dǐ	底	55	lóng	龙	91	sàn	散
20	dū	都	56	luàn	乱	92	shā	沙
21	dùn	顿	57	luò	落	93	shàn	善
22	fán	烦	58	má	麻	94	shè	社
23	fǎn	反	59	mào	冒	95	shèng	胜
24	fǎng	访	60	měi	每	96	shuāng	双
25	fèi	费	61	mí	迷	97	sǐ	死
26	fǒu	否	62	mín	民	98	tái	台
27	fū	夫	63	mìng	命	99	tán	谈
28	gài	概	64	mǒu	某	100	tāng	汤
29	gé	格	65	mǔ	母	101	tián	甜
30	gū	姑	66	nèi	内	102	tiào	跳
31	gǔ	古	67	niàn	念	103	tòng	痛
32	guà	挂	68	niáng	娘	104	tū	突
33	guài	怪	69	nóng	农	105	tǔ	土
34	guāng	光	70	nuǎn	暖	106	tuán	团
35	guī	规	71	pāi	拍	107	tuì	退

108	wēi	危	119	yàn	验	130	zhì	志
109	wěi	伟	120	yōu	优	131	zhǒng	种
110	wò	握	121	yuē	约	132	zhū	猪
111	wū	屋	122	zá	杂	133	zhuā	抓
112	xiǎn	显	123	zào	造	134	zhuān	专
113	xiāo	消	124	zé	责	135	zhuǎn	转
114	xù	续	125	zēng	增	136	zhuàng	状
115	xuān	宣	126	zhǎn	展	137	zhuī	追
116	xùn	训	127	zhāng	张	138	zī	资
117	yā	压	128	zhēng	争	139	zǒng	总
118	yān	烟	129	zhěng	整	140	zú	足

中等（新增300个）

四级音节（116个）

序号	音节	代表字						
1	ā	阿	33	huǎn	缓	66	qiē	切
2	ǎi	矮	34	huī	挥	67	qióng	穷
3	bài	败	35	jiàng	降	68	quān	圈
4	báo	薄	36	jiū	究	69	ruò	弱
5	bèn	笨	37	jū	居	70	sǎn	伞
6	bīng	兵	38	jú	局	71	sǎo	扫
7	cā	擦	39	juǎn	卷	72	sēn	森
8	cāo	操	40	juàn	卷	73	shài	晒
9	cè	测	41	jūn	均	74	shǎn	闪
10	chè	彻	42	kuān	宽	75	shǎng	赏
11	chǐ	尺	43	kuò	扩	76	shāo	烧
12	chōu	抽	44	là	辣	77	shèn	甚
13	chuāng	窗	45	láng	郎	78	shuā	刷
14	chún	纯	46	léi	雷	79	shuài	帅
15	cū	粗	47	lěi	累	80	sōng	松
16	cù	促	48	liǎ	俩	81	sú	俗
17	cùn	寸	49	liáo	疗	82	suān	酸
18	děi	得	50	liào	料	83	sūn	孙
19	dí	敌	51	lín	林	84	suō	缩
20	dǐng	顶	52	lún	轮	85	tǎng	躺
21	dòu	斗	53	mèng	梦	86	tī	梯
22	dǔ	堵	54	mì	秘	87	tì	替
23	ě	恶	55	miǎn	免	88	tiāo	挑
24	ěr	耳	56	miáo	描	89	tiǎo	挑
25	fān	翻	57	mō	摸	90	tiē	贴
26	féi	肥	58	mó	模	91	tǒng	统
27	fǔ	府	59	na	哪	92	tòu	透
28	guā	瓜	60	nào	闹	93	tuō	脱
29	guàng	逛	61	níng	宁	94	wà	袜
30	hán	含	62	pán	盘	95	wān	弯
31	háo	毫	63	péi	培	96	wěn	稳
32	huái	怀	64	pó	婆	97	wú	无
			65	qiǎn	浅	98	xián	咸

99	xǐng	醒	105	ya	呀	111	zhāo	招
100	xiōng	兄	106	yáo	摇	112	zháo	着
101	xiù	秀	107	yǐn	引	113	zhé	折
102	xún	寻	108	zǎi	载	114	zhèn	阵
103	yá	牙	109	zàn	赞	115	zhú	逐
104	yà	亚	110	zhàng	丈	116	zōng	综

五级音节（98个）

序号	音节	代表字	序号	音节	代表字	序号	音节	代表字
1	bá	拔	33	hóu	猴	66	qiāo	悄
2	bàng	棒	34	hǔ	虎	67	qín	琴
3	bí	鼻	35	huāng	慌	68	quàn	劝
4	bīn	宾	36	huǐ	悔	69	rǎn	染
5	bǐng	饼	37	ké	咳	70	rǎo	扰
6	bó	博	38	kěn	肯	71	rào	绕
7	cāi	猜	39	kuǎn	款	72	rěn	忍
8	chā	叉	40	kuáng	狂	73	rēng	扔
9	chāi	拆	41	kuī	亏	74	ruǎn	软
10	chái	柴	42	lǎn	览	75	rùn	润
11	chóu	愁	43	làn	烂	76	sǎ	洒
12	chǒu	丑	44	lǎng	朗	77	shǎ	傻
13	chòu	臭	45	láo	劳	78	shé	蛇
14	chuǎng	闯	46	lòu	漏	79	shě	舍
15	cōng	聪	47	luó	逻	80	shuāi	摔
16	cuì	脆	48	mà	骂	81	shuò	硕
17	dāi	呆	49	mián	眠	82	sōu	搜
18	dǎn	胆	50	miǎo	秒	83	sǔn	损
19	dǎng	挡	51	mǐn	敏	84	tǎn	坦
20	diū	丢	52	mú	模	85	táo	逃
21	duī	堆	53	nài	耐	86	tōu	偷
22	dūn	吨	54	nàn	难	87	tù	兔
23	duǒ	朵	55	ǒu	偶	88	xiáng	详
24	fá	乏	56	pēn	喷	89	xióng	雄
25	gǎo	搞	57	pén	盆	90	yāng	央
26	gēng	更	58	pǐ	匹	91	yǎo	咬
27	gōu	沟	59	pīn	拼	92	yōng	拥
28	guǐ	鬼	60	pín	频	93	zāi	灾
29	gǔn	滚	61	pō	泼	94	zāo	糟
30	guō	锅	62	pú	葡	95	zèng	赠
31	hè	贺	63	qiàn	欠	96	zhāi	摘
32	hèn	恨	64	qiāng	枪	97	zhěn	诊
			65	qiǎng	抢	98	zūn	尊

六级音节（86个）

序号	音节	代表字	序号	音节	代表字	序号	音节	代表字
1	āi	挨	29	hùn	混	58	rǔ	乳
2	ái	挨	30	juān	捐	59	sāi	塞
3	ào	傲	31	kān	刊	60	sàng	丧
4	bǎng	榜	32	kàng	抗	61	sháo	勺
5	bēn	奔	33	kòu	扣	62	shěn	审
6	bī	逼	34	kuà	跨	63	shuǎng	爽
7	biǎn	扁	35	la	啦	64	sū	苏
8	cán	残	36	lài	赖	65	tǎ	塔
9	cǎn	惨	37	lú	炉	66	tà	踏
10	cāng	仓	38	lüè	略	67	tàn	叹
11	cáng	藏	39	mái	埋	68	tàng	趟
12	chāng	昌	40	mán	馒	69	tāo	掏
13	chǒng	宠	41	mēng	蒙	70	tūn	吞
14	chòng	冲	42	méng	盟	71	wā	挖
15	chuàn	串	43	měng	猛	72	wá	娃
16	dàng	档	44	miào	妙	73	wa	哇
17	diē	跌	45	miè	灭	74	xuán	悬
18	duān	端	46	móu	谋	75	xuè	血
19	duó	夺	47	ní	泥	76	yūn	晕
20	é	额	48	niǔ	扭	77	yǔn	允
21	ēn	恩	49	nù	怒	78	zàng	脏
22	fěn	粉	50	nuò	诺	79	zhā	扎
23	fèng	奉	51	pào	泡	80	zhà	炸
24	fó	佛	52	pìn	聘	81	zhái	宅
25	gǎng	岗	53	pū	扑	82	zhài	债
26	gǒng	巩	54	pù	铺	83	zhuàn	赚
27	guǎi	拐	55	qià	恰	84	zòng	纵
28	héng	衡	56	qié	茄	85	zòu	奏
			57	qú	渠	86	zuān	钻

高等（新增202个）

七—九级音节（202个）

序号	音节	代表字	序号	音节	代表字	序号	音节	代表字
1	áng	昂	33	dèng	瞪	66	juè	倔
2	āo	凹	34	diān	颠	67	jùn	俊
3	áo	熬	35	diāo	叼	68	kǎi	凯
4	bāi	掰	36	dié	叠	69	kǎn	砍
5	bēng	崩	37	dīng	丁	70	káng	扛
6	bèng	蹦	38	dǒu	抖	71	kēng	坑
7	biē	憋	39	dǔn	盹	72	kōu	抠
8	biè	别	40	duò	堕	73	kuā	夸
9	bo	卜	41	fěi	匪	74	kuǎ	垮
10	càn	灿	42	fén	坟	75	kuāng	筐
11	cáo	曹	43	féng	逢	76	kuí	魁
12	cèng	蹭	44	fěng	讽	77	kuì	愧
13	chān	掺	45	gà	尬	78	kūn	昆
14	chán	缠	46	gàng	杠	79	kǔn	捆
15	chàn	颤	47	gěng	耿	80	lǎ	喇
16	chě	扯	48	guǎ	寡	81	lāo	捞
17	chěng	逞	49	guāi	乖	82	lào	涝
18	chèng	秤	50	gùn	棍	83	lēi	勒
19	chì	斥	51	hān	酣	84	léng	棱
20	chuāi	揣	52	hén	痕	85	lèng	愣
21	chuǎi	揣	53	hēng	哼	86	liē	咧
22	chuài	踹	54	hèng	横	87	liě	咧
23	chuǎn	喘	55	hōng	烘	88	līn	拎
24	chuí	垂	56	hǒng	哄	89	lìn	赁
25	chǔn	蠢	57	hòng	哄	90	liū	溜
26	chuō	戳	58	hǒu	吼	91	liǔ	柳
27	chuò	绰	59	huǎng	谎	92	lǒng	拢
28	còu	凑	60	huàng	晃	93	lǒu	搂
29	cuàn	窜	61	hún	浑	94	lǔ	鲁
30	cuī	催	62	huō	豁	95	luán	孪
31	cuō	搓	63	jiá	颊	96	luǎn	卵
32	dǎi	歹	64	jiáo	嚼	97	lūn	抡
			65	jiǒng	窘	98	luǒ	裸

99	mǎng	莽	134	qiàng	呛	169	tuǒ	妥
100	mēn	闷	135	qiào	俏	170	tuò	拓
101	mèn	闷	136	qǐn	寝	171	wǎ	瓦
102	miù	谬	137	quǎn	犬	172	wāi	歪
103	mǒ	抹	138	rǎng	嚷	173	wāng	汪
104	náng	囊	139	ráo	饶	174	wēng	翁
105	náo	挠	140	rě	惹	175	wō	窝
106	něi	馁	141	rǒng	冗	176	xiā	虾
107	nèn	嫩	142	róu	柔	177	xiá	侠
108	nì	逆	143	ruì	锐	178	xiáo	淆
109	niàng	酿	144	sā	撒	179	xiǔ	朽
110	niào	尿	145	sà	萨	180	xú	徐
111	niē	捏	146	sāng	桑	181	xuàn	炫
112	nǐng	拧	147	sǎng	嗓	182	xuē	靴
113	nìng	宁	148	sāo	骚	183	xūn	勋
114	nú	奴	149	sào	臊	184	yǎ	哑
115	nüè	虐	150	sēng	僧	185	yē	椰
116	nuó	挪	151	shà	厦	186	yuān	冤
117	ò	哦	152	shāi	筛	187	zā	扎
118	ōu	欧	153	shē	奢	188	zǎn	攒
119	pā	趴	154	shéng	绳	189	záo	凿
120	pān	攀	155	shi	匙	190	zéi	贼
121	pāng	乓	156	shuǎ	耍	191	zhá	闸
122	pāo	抛	157	shuǎi	甩	192	zhǎ	眨
123	páo	刨	158	shuān	拴	193	zhǎi	窄
124	pēi	胚	159	shuàn	涮	194	zhān	沾
125	pēng	抨	160	sǒng	耸	195	zhē	遮
126	pěng	捧	161	sòu	嗽	196	zhóu	轴
127	pì	辟	162	suǐ	髓	197	zhòu	皱
128	piāo	飘	163	tāi	胎	198	zhuǎ	爪
129	piě	撇	164	tān	贪	199	zhuài	拽
130	pīng	乒	165	tiǎn	舔	200	zhuì	坠
131	pōu	剖	166	tuí	颓	201	zhuó	卓
132	qiā	掐	167	tún	屯	202	zuàn	钻
133	qiǎ	卡	168	tuó	驮			

按音序排列的音节表（1110个）

序号	音节	代表字	等级	序号	音节	代表字	等级
1	ā	阿	四级	36	běn	本	一级
2	a	啊	二级	37	bèn	笨	四级
3	āi	挨	六级	38	bēng	崩	高等
4	ái	挨	六级	39	bèng	蹦	高等
5	ǎi	矮	四级	40	bī	逼	六级
6	ài	爱	一级	41	bí	鼻	五级
7	ān	安	二级	42	bǐ	比	一级
8	àn	按	三级	43	bì	必	二级
9	áng	昂	高等	44	biān	边	一级
10	āo	凹	高等	45	biǎn	扁	六级
11	áo	熬	高等	46	biàn	变	二级
12	ào	傲	六级	47	biāo	标	三级
13	bā	八	一级	48	biǎo	表	二级
14	bá	拔	五级	49	biē	憋	高等
15	bǎ	把	三级	50	bié	别	一级
16	bà	爸	一级	51	biè	别	高等
17	ba	吧	一级	52	bīn	宾	五级
18	bāi	掰	高等	53	bīng	兵	四级
19	bái	白	一级	54	bǐng	饼	五级
20	bǎi	百	一级	55	bìng	病	一级
21	bài	败	四级	56	bō	播	三级
22	bān	班	一级	57	bó	博	五级
23	bǎn	板	二级	58	bo	卜	高等
24	bàn	半	一级	59	bǔ	补	三级
25	bāng	帮	一级	60	bù	不	一级
26	bǎng	榜	六级	61	cā	擦	四级
27	bàng	棒	五级	62	cāi	猜	五级
28	bāo	包	一级	63	cái	才	二级
29	báo	薄	四级	64	cǎi	采	三级
30	bǎo	饱	二级	65	cài	菜	一级
31	bào	报	二级	66	cān	参	二级
32	bēi	杯	一级	67	cán	残	六级
33	běi	北	一级	68	cǎn	惨	六级
34	bèi	备	一级	69	càn	灿	高等
35	bēn	奔	六级	70	cāng	仓	六级
				71	cáng	藏	六级

72	cāo	操	四级	111	chōu	抽	四级
73	cáo	曹	高等	112	chóu	愁	五级
74	cǎo	草	二级	113	chǒu	丑	五级
75	cè	测	四级	114	chòu	臭	五级
76	céng	层	二级	115	chū	出	一级
77	cèng	蹭	高等	116	chú	除	三级
78	chā	叉	五级	117	chǔ	楚	二级
79	chá	茶	一级	118	chù	处	二级
80	chà	差	一级	119	chuāi	揣	高等
81	chāi	拆	五级	120	chuǎi	揣	高等
82	chái	柴	五级	121	chuài	踹	高等
83	chān	掺	高等	122	chuān	穿	一级
84	chán	缠	高等	123	chuán	船	二级
85	chǎn	产	三级	124	chuǎn	喘	高等
86	chàn	颤	高等	125	chuàn	串	六级
87	chāng	昌	六级	126	chuāng	窗	四级
88	cháng	常	一级	127	chuáng	床	一级
89	chǎng	场	一级	128	chuǎng	闯	五级
90	chàng	唱	一级	129	chuàng	创	三级
91	chāo	超	二级	130	chuī	吹	二级
92	cháo	朝	三级	131	chuí	垂	高等
93	chǎo	吵	三级	132	chūn	春	二级
94	chē	车	一级	133	chún	纯	四级
95	chě	扯	高等	134	chǔn	蠢	高等
96	chè	彻	四级	135	chuō	戳	高等
97	chén	晨	二级	136	chuò	绰	高等
98	chèn	衬	三级	137	cí	词	二级
99	chēng	称	二级	138	cǐ	此	三级
100	chéng	成	二级	139	cì	次	一级
101	chěng	逞	高等	140	cōng	聪	五级
102	chèng	秤	高等	141	cóng	从	一级
103	chī	吃	一级	142	còu	凑	高等
104	chí	持	三级	143	cū	粗	四级
105	chǐ	尺	四级	144	cù	促	四级
106	chì	斥	高等	145	cuàn	窜	高等
107	chōng	充	三级	146	cuī	催	高等
108	chóng	重	二级	147	cuì	脆	五级
109	chǒng	宠	六级	148	cūn	村	三级
110	chòng	冲	六级	149	cún	存	三级

150	cùn	寸	四级		189	diū	丢	五级
151	cuō	搓	高等		190	dōng	东	一级
152	cuò	错	一级		191	dǒng	懂	二级
153	dā	答	二级		192	dòng	动	一级
154	dá	答	一级		193	dōu	都	一级
155	dǎ	打	一级		194	dǒu	抖	高等
156	dà	大	一级		195	dòu	斗	四级
157	dāi	呆	五级		196	dū	都	三级
158	dǎi	歹	高等		197	dú	读	一级
159	dài	带	二级		198	dǔ	堵	四级
160	dān	单	二级		199	dù	度	二级
161	dǎn	胆	五级		200	duān	端	六级
162	dàn	蛋	一级		201	duǎn	短	二级
163	dāng	当	二级		202	duàn	段	二级
164	dǎng	挡	五级		203	duī	堆	五级
165	dàng	档	六级		204	duì	对	一级
166	dāo	刀	三级		205	dūn	吨	五级
167	dǎo	倒	二级		206	dǔn	盹	高等
168	dào	到	一级		207	dùn	顿	三级
169	dé	得	一级		208	duō	多	一级
170	de	的	一级		209	duó	夺	六级
171	děi	得	四级		210	duǒ	朵	五级
172	dēng	灯	二级		211	duò	堕	高等
173	děng	等	一级		212	é	额	六级
174	dèng	瞪	高等		213	ě	恶	四级
175	dī	低	二级		214	è	饿	一级
176	dí	敌	四级		215	ēn	恩	六级
177	dǐ	底	三级		216	ér	儿	一级
178	dì	弟	一级		217	ěr	耳	四级
179	diān	颠	高等		218	èr	二	一级
180	diǎn	点	一级		219	fā	发	二级
181	diàn	电	一级		220	fá	乏	五级
182	diāo	叼	高等		221	fǎ	法	二级
183	diào	掉	二级		222	fà	发	二级
184	diē	跌	六级		223	fān	翻	四级
185	dié	叠	高等		224	fán	烦	三级
186	dīng	丁	高等		225	fǎn	反	三级
187	dǐng	顶	四级		226	fàn	饭	一级
188	dìng	定	二级		227	fāng	方	一级

228	fáng	房	一级	267	gēng	更	五级
229	fǎng	访	三级	268	gěng	耿	高等
230	fàng	放	一级	269	gèng	更	二级
231	fēi	非	一级	270	gōng	工	一级
232	féi	肥	四级	271	gǒng	巩	六级
233	fěi	匪	高等	272	gòng	共	二级
234	fèi	费	三级	273	gōu	沟	五级
235	fēn	分	一级	274	gǒu	狗	二级
236	fén	坟	高等	275	gòu	够	二级
237	fěn	粉	六级	276	gū	姑	三级
238	fèn	份	二级	277	gǔ	古	三级
239	fēng	风	一级	278	gù	故	二级
240	féng	逢	高等	279	guā	瓜	四级
241	fěng	讽	高等	280	guǎ	寡	高等
242	fèng	奉	六级	281	guà	挂	三级
243	fó	佛	六级	282	guāi	乖	高等
244	fǒu	否	三级	283	guǎi	拐	六级
245	fū	夫	三级	284	guài	怪	三级
246	fú	服	一级	285	guān	关	一级
247	fǔ	府	四级	286	guǎn	馆	一级
248	fù	复	二级	287	guàn	惯	二级
249	gà	尬	高等	288	guāng	光	三级
250	gāi	该	二级	289	guǎng	广	二级
251	gǎi	改	二级	290	guàng	逛	四级
252	gài	概	三级	291	guī	规	三级
253	gān	干	一级	292	guǐ	鬼	五级
254	gǎn	感	二级	293	guì	贵	一级
255	gàn	干	一级	294	gǔn	滚	五级
256	gāng	刚	二级	295	gùn	棍	高等
257	gǎng	岗	六级	296	guō	锅	五级
258	gàng	杠	高等	297	guó	国	一级
259	gāo	高	一级	298	guǒ	果	一级
260	gǎo	搞	五级	299	guò	过	一级
261	gào	告	一级	300	guo	过	二级
262	gē	哥	一级	301	hā	哈	三级
263	gé	格	三级	302	hái	孩	一级
264	gè	个	一级	303	hǎi	海	二级
265	gěi	给	一级	304	hài	害	三级
266	gēn	跟	一级	305	hān	酣	高等

306	hán	含	四级		345	huǎng	谎	高等
307	hǎn	喊	二级		346	huàng	晃	高等
308	hàn	汉	一级		347	huī	挥	四级
309	háng	行	二级		348	huí	回	一级
310	háo	毫	四级		349	huǐ	悔	五级
311	hǎo	好	一级		350	huì	会	一级
312	hào	号	一级		351	hūn	婚	三级
313	hē	喝	一级		352	hún	浑	高等
314	hé	和	一级		353	hùn	混	六级
315	hè	贺	五级		354	huō	豁	高等
316	hēi	黑	二级		355	huó	活	二级
317	hén	痕	高等		356	huǒ	火	一级
318	hěn	很	一级		357	huò	或	二级
319	hèn	恨	五级		358	jī	机	一级
320	hēng	哼	高等		359	jí	级	二级
321	héng	衡	六级		360	jǐ	几	一级
322	hèng	横	高等		361	jì	记	一级
323	hōng	烘	高等		362	jiā	家	一级
324	hóng	红	二级		363	jiá	颊	高等
325	hǒng	哄	高等		364	jiǎ	假	二级
326	hòng	哄	高等		365	jià	假	一级
327	hóu	猴	五级		366	jiān	间	一级
328	hǒu	吼	高等		367	jiǎn	检	二级
329	hòu	后	一级		368	jiàn	见	一级
330	hū	忽	二级		369	jiāng	将	三级
331	hú	湖	二级		370	jiǎng	讲	二级
332	hǔ	虎	五级		371	jiàng	降	四级
333	hù	护	二级		372	jiāo	教	一级
334	huā	花	一级		373	jiáo	嚼	高等
335	huá	华	三级		374	jiǎo	角	二级
336	huà	话	一级		375	jiào	叫	一级
337	huái	怀	四级		376	jiē	接	二级
338	huài	坏	一级		377	jié	节	二级
339	huān	欢	一级		378	jiě	姐	一级
340	huán	还	一级		379	jiè	介	一级
341	huǎn	缓	四级		380	jīn	今	一级
342	huàn	换	二级		381	jǐn	仅	三级
343	huāng	慌	五级		382	jìn	进	一级
344	huáng	黄	二级		383	jīng	京	一级

384	jǐng	景	三级	423	kǒu	口	一级
385	jìng	净	一级	424	kòu	扣	六级
386	jiǒng	窘	高等	425	kū	哭	二级
387	jiū	究	四级	426	kǔ	苦	三级
388	jiǔ	九	一级	427	kù	裤	三级
389	jiù	就	一级	428	kuā	夸	高等
390	jū	居	四级	429	kuǎ	垮	高等
391	jú	局	四级	430	kuà	跨	六级
392	jǔ	举	二级	431	kuài	快	一级
393	jù	句	二级	432	kuān	宽	四级
394	juān	捐	六级	433	kuǎn	款	五级
395	juǎn	卷	四级	434	kuāng	筐	高等
396	juàn	卷	四级	435	kuáng	狂	五级
397	jué	觉	一级	436	kuàng	况	三级
398	juè	倔	高等	437	kuī	亏	五级
399	jūn	均	四级	438	kuí	魁	高等
400	jùn	俊	高等	439	kuì	愧	高等
401	kā	咖	三级	440	kūn	昆	高等
402	kǎ	卡	二级	441	kǔn	捆	高等
403	kāi	开	一级	442	kùn	困	三级
404	kǎi	凯	高等	443	kuò	扩	四级
405	kān	刊	六级	444	lā	拉	二级
406	kǎn	砍	高等	445	lǎ	喇	高等
407	kàn	看	一级	446	là	辣	四级
408	kāng	康	二级	447	la	啦	六级
409	káng	扛	高等	448	lái	来	一级
410	kàng	抗	六级	449	lài	赖	六级
411	kǎo	考	一级	450	lán	蓝	二级
412	kào	靠	二级	451	lǎn	览	五级
413	kē	科	二级	452	làn	烂	五级
414	ké	咳	五级	453	láng	郎	四级
415	kě	渴	一级	454	lǎng	朗	五级
416	kè	课	一级	455	làng	浪	三级
417	kěn	肯	五级	456	lāo	捞	高等
418	kēng	坑	高等	457	láo	劳	五级
419	kōng	空	二级	458	lǎo	老	一级
420	kǒng	恐	三级	459	lào	涝	高等
421	kòng	空	二级	460	lè	乐	二级
422	kōu	抠	高等	461	le	了	一级

462	lēi	勒	高等		501	lǔ	鲁	高等
463	léi	雷	四级		502	lù	路	一级
464	lěi	累	四级		503	lǚ	旅	二级
465	lèi	累	一级		504	lǜ	绿	二级
466	léng	棱	高等		505	luán	孪	高等
467	lěng	冷	一级		506	luǎn	卵	高等
468	lèng	愣	高等		507	luàn	乱	三级
469	lí	离	二级		508	lüè	略	六级
470	lǐ	里	一级		509	lūn	抡	高等
471	lì	利	二级		510	lún	轮	四级
472	liǎ	俩	四级		511	lùn	论	二级
473	lián	连	三级		512	luó	逻	五级
474	liǎn	脸	二级		513	luǒ	裸	高等
475	liàn	练	二级		514	luò	落	三级
476	liáng	凉	二级		515	mā	妈	一级
477	liǎng	两	一级		516	má	麻	三级
478	liàng	亮	二级		517	mǎ	马	一级
479	liáo	疗	四级		518	mà	骂	五级
480	liǎo	了	三级		519	ma	吗	一级
481	liào	料	四级		520	mái	埋	六级
482	liē	咧	高等		521	mǎi	买	一级
483	liě	咧	高等		522	mài	卖	二级
484	liè	烈	三级		523	mán	馒	六级
485	līn	拎	高等		524	mǎn	满	二级
486	lín	林	四级		525	màn	慢	一级
487	lìn	赁	高等		526	máng	忙	一级
488	líng	零	一级		527	mǎng	莽	高等
489	lǐng	领	三级		528	māo	猫	二级
490	lìng	另	三级		529	máo	毛	一级
491	liū	溜	高等		530	mào	冒	三级
492	liú	留	二级		531	me	么	一级
493	liǔ	柳	高等		532	méi	没	一级
494	liù	六	一级		533	měi	每	三级
495	lóng	龙	三级		534	mèi	妹	一级
496	lǒng	拢	高等		535	mēn	闷	高等
497	lóu	楼	一级		536	mén	门	一级
498	lǒu	搂	高等		537	mèn	闷	高等
499	lòu	漏	五级		538	men	们	一级
500	lú	炉	六级		539	mēng	蒙	六级

540	méng	盟	六级		579	ne	呢	一级
541	měng	猛	六级		580	něi	馁	高等
542	mèng	梦	四级		581	nèi	内	三级
543	mí	迷	三级		582	nèn	嫩	高等
544	mǐ	米	一级		583	néng	能	一级
545	mì	秘	四级		584	ní	泥	六级
546	mián	眠	五级		585	nǐ	你	一级
547	miǎn	免	四级		586	nì	逆	高等
548	miàn	面	一级		587	nián	年	一级
549	miáo	描	四级		588	niàn	念	三级
550	miǎo	秒	五级		589	niáng	娘	三级
551	miào	妙	六级		590	niàng	酿	高等
552	miè	灭	六级		591	niǎo	鸟	二级
553	mín	民	三级		592	niào	尿	高等
554	mǐn	敏	五级		593	niē	捏	高等
555	míng	名	一级		594	nín	您	一级
556	mìng	命	三级		595	níng	宁	四级
557	miù	谬	高等		596	nǐng	拧	高等
558	mo	摸	四级		597	nìng	宁	高等
559	mó	模	四级		598	niú	牛	一级
560	mǒ	抹	高等		599	niǔ	扭	六级
561	mò	末	二级		600	nóng	农	三级
562	móu	谋	六级		601	nòng	弄	二级
563	mǒu	某	三级		602	nú	奴	高等
564	mú	模	五级		603	nǔ	努	二级
565	mǔ	母	三级		604	nù	怒	六级
566	mù	目	二级		605	nǚ	女	一级
567	ná	拿	一级		606	nuǎn	暖	三级
568	nǎ	哪	一级		607	nüè	虐	高等
569	nà	那	一级		608	nuó	挪	高等
570	na	哪	四级		609	nuò	诺	六级
571	nǎi	奶	一级		610	ò	哦	高等
572	nài	耐	五级		611	ōu	欧	高等
573	nán	男	一级		612	ǒu	偶	五级
574	nàn	难	五级		613	pā	趴	高等
575	náng	囊	高等		614	pá	爬	二级
576	náo	挠	高等		615	pà	怕	二级
577	nǎo	脑	一级		616	pāi	拍	三级
578	nào	闹	四级		617	pái	排	二级

618	pài	派	三级		657	pōu	剖	高等
619	pān	攀	高等		658	pū	扑	六级
620	pán	盘	四级		659	pú	葡	五级
621	pàn	判	三级		660	pǔ	普	二级
622	pāng	乓	高等		661	pù	铺	六级
623	páng	旁	一级		662	qī	七	一级
624	pàng	胖	三级		663	qí	其	二级
625	pāo	抛	高等		664	qǐ	起	一级
626	páo	刨	高等		665	qì	气	一级
627	pǎo	跑	一级		666	qiā	掐	高等
628	pào	泡	六级		667	qiǎ	卡	高等
629	pēi	胚	高等		668	qià	恰	六级
630	péi	培	四级		669	qiān	千	二级
631	pèi	配	三级		670	qián	前	一级
632	pēn	喷	五级		671	qiǎn	浅	四级
633	pén	盆	五级		672	qiàn	欠	五级
634	pēng	抨	高等		673	qiāng	枪	五级
635	péng	朋	一级		674	qiáng	墙	二级
636	pěng	捧	高等		675	qiǎng	抢	五级
637	pèng	碰	二级		676	qiàng	呛	高等
638	pī	批	三级		677	qiāo	悄	五级
639	pí	皮	三级		678	qiáo	桥	三级
640	pǐ	匹	五级		679	qiǎo	巧	三级
641	pì	辟	高等		680	qiào	俏	高等
642	piān	篇	二级		681	qiē	切	四级
643	pián	便	二级		682	qié	茄	六级
644	piàn	片	二级		683	qiě	且	二级
645	piāo	飘	高等		684	qiè	切	三级
646	piào	票	一级		685	qīn	亲	三级
647	piě	撇	高等		686	qín	琴	五级
648	pīn	拼	五级		687	qǐn	寝	高等
649	pín	频	五级		688	qīng	轻	二级
650	pǐn	品	三级		689	qíng	情	二级
651	pìn	聘	六级		690	qǐng	请	一级
652	pīng	乒	高等		691	qìng	庆	三级
653	píng	平	二级		692	qióng	穷	四级
654	pō	泼	五级		693	qiū	秋	二级
655	pó	婆	四级		694	qiú	球	一级
656	pò	破	三级		695	qū	区	三级

696	qú	渠	六级	735	sāi	塞	六级
697	qǔ	取	二级	736	sài	赛	三级
698	qù	去	一级	737	sān	三	一级
699	quān	圈	四级	738	sǎn	伞	四级
700	quán	全	二级	739	sàn	散	三级
701	quǎn	犬	高等	740	sāng	桑	高等
702	quàn	劝	五级	741	sǎng	嗓	高等
703	quē	缺	三级	742	sàng	丧	六级
704	què	确	二级	743	sāo	骚	高等
705	qún	群	三级	744	sǎo	扫	四级
706	rán	然	二级	745	sào	臊	高等
707	rǎn	染	五级	746	sè	色	二级
708	rǎng	嚷	高等	747	sēn	森	四级
709	ràng	让	二级	748	sēng	僧	高等
710	ráo	饶	高等	749	shā	沙	三级
711	rǎo	扰	五级	750	shǎ	傻	五级
712	rào	绕	五级	751	shà	厦	高等
713	rě	惹	高等	752	shāi	筛	高等
714	rè	热	一级	753	shài	晒	四级
715	rén	人	一级	754	shān	山	一级
716	rěn	忍	五级	755	shǎn	闪	四级
717	rèn	认	一级	756	shàn	善	三级
718	rēng	扔	五级	757	shāng	商	一级
719	réng	仍	三级	758	shǎng	赏	四级
720	rì	日	一级	759	shàng	上	一级
721	róng	容	三级	760	shāo	烧	四级
722	rǒng	冗	高等	761	sháo	勺	六级
723	róu	柔	高等	762	shǎo	少	一级
724	ròu	肉	一级	763	shào	绍	一级
725	rú	如	二级	764	shē	奢	高等
726	rǔ	乳	六级	765	shé	蛇	五级
727	rù	入	二级	766	shě	舍	五级
728	ruǎn	软	五级	767	shè	社	三级
729	ruì	锐	高等	768	shéi	谁	一级
730	rùn	润	五级	769	shēn	身	一级
731	ruò	弱	四级	770	shén	什	一级
732	sā	撒	高等	771	shěn	审	六级
733	sǎ	洒	五级	772	shèn	甚	四级
734	sà	萨	高等	773	shēng	生	一级

774	shéng	绳	高等		813	sū	苏	六级
775	shěng	省	二级		814	sú	俗	四级
776	shèng	胜	三级		815	sù	诉	一级
777	shī	师	一级		816	suān	酸	四级
778	shí	十	一级		817	suàn	算	二级
779	shǐ	使	二级		818	suī	虽	二级
780	shì	是	一级		819	suí	随	二级
781	shi	匙	高等		820	suǐ	髓	高等
782	shōu	收	二级		821	suì	岁	一级
783	shóu	熟	二级		822	sūn	孙	四级
784	shǒu	手	一级		823	sǔn	损	五级
785	shòu	受	二级		824	suō	缩	四级
786	shū	书	一级		825	suǒ	所	二级
787	shú	熟	二级		826	tā	他	一级
788	shǔ	数	二级		827	tǎ	塔	六级
789	shù	树	一级		828	tà	踏	六级
790	shuā	刷	四级		829	tāi	胎	高等
791	shuǎ	耍	高等		830	tái	台	三级
792	shuāi	摔	五级		831	tài	太	一级
793	shuǎi	甩	高等		832	tān	贪	高等
794	shuài	帅	四级		833	tán	谈	三级
795	shuān	拴	高等		834	tǎn	坦	五级
796	shuàn	涮	高等		835	tàn	叹	六级
797	shuāng	双	三级		836	tāng	汤	三级
798	shuǎng	爽	六级		837	táng	堂	二级
799	shuí	谁	一级		838	tǎng	躺	四级
800	shuǐ	水	一级		839	tàng	趟	六级
801	shuì	睡	一级		840	tāo	掏	六级
802	shùn	顺	二级		841	táo	逃	五级
803	shuō	说	一级		842	tǎo	讨	二级
804	shuò	硕	五级		843	tào	套	二级
805	sī	思	二级		844	tè	特	二级
806	sǐ	死	三级		845	téng	疼	二级
807	sì	四	一级		846	tī	梯	四级
808	sōng	松	四级		847	tí	题	二级
809	sǒng	耸	高等		848	tǐ	体	一级
810	sòng	送	一级		849	tì	替	四级
811	sōu	搜	五级		850	tiān	天	一级
812	sòu	嗽	高等		851	tián	甜	三级

852	tiǎn	舔	高等		891	wān	弯	四级
853	tiāo	挑	四级		892	wán	玩	一级
854	tiáo	条	一级		893	wǎn	晚	一级
855	tiǎo	挑	四级		894	wàn	万	二级
856	tiào	跳	三级		895	wāng	汪	高等
857	tiē	贴	四级		896	wáng	王	二级
858	tiě	铁	二级		897	wǎng	网	一级
859	tīng	听	一级		898	wàng	忘	一级
860	tíng	停	二级		899	wēi	危	三级
861	tǐng	挺	二级		900	wéi	为	二级
862	tōng	通	二级		901	wěi	伟	三级
863	tóng	同	一级		902	wèi	位	二级
864	tǒng	统	四级		903	wēn	温	二级
865	tòng	痛	三级		904	wén	文	一级
866	tōu	偷	五级		905	wěn	稳	四级
867	tóu	头	二级		906	wèn	问	一级
868	tòu	透	四级		907	wēng	翁	高等
869	tū	突	三级		908	wō	窝	高等
870	tú	图	一级		909	wǒ	我	一级
871	tǔ	土	三级		910	wò	握	三级
872	tù	兔	五级		911	wū	屋	三级
873	tuán	团	三级		912	wú	无	四级
874	tuī	推	二级		913	wǔ	五	一级
875	tuí	颓	高等		914	wù	物	二级
876	tuǐ	腿	二级		915	xī	西	一级
877	tuì	退	三级		916	xí	习	一级
878	tūn	吞	六级		917	xǐ	洗	一级
879	tún	屯	高等		918	xì	系	一级
880	tuō	脱	四级		919	xiā	虾	高等
881	tuó	驮	高等		920	xiá	侠	高等
882	tuǒ	妥	高等		921	xià	下	一级
883	tuò	拓	高等		922	xiān	先	一级
884	wā	挖	六级		923	xián	咸	四级
885	wá	娃	六级		924	xiǎn	显	三级
886	wǎ	瓦	高等		925	xiàn	现	一级
887	wà	袜	四级		926	xiāng	相	二级
888	wa	哇	六级		927	xiáng	详	五级
889	wāi	歪	高等		928	xiǎng	想	一级
890	wài	外	一级		929	xiàng	向	二级

930	xiāo	消	三级	969	yān	烟	三级
931	xiáo	淆	高等	970	yán	言	二级
932	xiǎo	小	一级	971	yǎn	眼	二级
933	xiào	笑	一级	972	yàn	验	三级
934	xiē	些	一级	973	yāng	央	五级
935	xié	鞋	二级	974	yáng	阳	二级
936	xiě	写	一级	975	yǎng	养	二级
937	xiè	谢	一级	976	yàng	样	一级
938	xīn	新	一级	977	yāo	要	二级
939	xìn	信	二级	978	yáo	摇	四级
940	xīng	星	一级	979	yǎo	咬	五级
941	xíng	行	一级	980	yào	要	一级
942	xǐng	醒	四级	981	yē	椰	高等
943	xìng	兴	一级	982	yé	爷	一级
944	xiōng	兄	四级	983	yě	也	一级
945	xióng	雄	五级	984	yè	页	一级
946	xiū	休	一级	985	yī	一	一级
947	xiǔ	朽	高等	986	yí	宜	二级
948	xiù	秀	四级	987	yǐ	以	二级
949	xū	须	二级	988	yì	意	二级
950	xú	徐	高等	989	yīn	因	二级
951	xǔ	许	二级	990	yín	银	二级
952	xù	续	三级	991	yǐn	引	四级
953	xuān	宣	三级	992	yìn	印	二级
954	xuán	悬	六级	993	yīng	应	二级
955	xuǎn	选	二级	994	yíng	迎	二级
956	xuàn	炫	高等	995	yǐng	影	一级
957	xuē	靴	高等	996	yìng	应	二级
958	xué	学	一级	997	yōng	拥	五级
959	xuě	雪	二级	998	yǒng	永	二级
960	xuè	血	六级	999	yòng	用	一级
961	xūn	勋	高等	1000	yōu	优	三级
962	xún	寻	四级	1001	yóu	由	二级
963	xùn	训	三级	1002	yǒu	有	一级
964	yā	压	三级	1003	yòu	右	一级
965	yá	牙	四级	1004	yú	鱼	二级
966	yǎ	哑	高等	1005	yǔ	雨	一级
967	yà	亚	四级	1006	yù	育	二级
968	ya	呀	四级	1007	yuān	冤	高等

1008	yuán	元	一级	1047	zhāng	张	三级
1009	yuǎn	远	一级	1048	zhǎng	长	二级
1010	yuàn	院	一级	1049	zhàng	丈	四级
1011	yuē	约	三级	1050	zhāo	招	四级
1012	yuè	月	一级	1051	zháo	着	四级
1013	yūn	晕	六级	1052	zhǎo	找	一级
1014	yún	云	二级	1053	zhào	照	二级
1015	yǔn	允	六级	1054	zhē	遮	高等
1016	yùn	运	二级	1055	zhé	折	四级
1017	zā	扎	高等	1056	zhě	者	二级
1018	zá	杂	三级	1057	zhè	这	一级
1019	zāi	灾	五级	1058	zhe	着	一级
1020	zǎi	载	四级	1059	zhēn	真	一级
1021	zài	在	一级	1060	zhěn	诊	五级
1022	zán	咱	二级	1061	zhèn	阵	四级
1023	zǎn	攒	高等	1062	zhēng	争	三级
1024	zàn	赞	四级	1063	zhěng	整	三级
1025	zāng	脏	二级	1064	zhèng	正	一级
1026	zàng	脏	六级	1065	zhī	知	一级
1027	zāo	糟	五级	1066	zhí	直	二级
1028	záo	凿	高等	1067	zhǐ	纸	二级
1029	zǎo	早	一级	1068	zhì	志	三级
1030	zào	造	三级	1069	zhōng	中	一级
1031	zé	责	三级	1070	zhǒng	种	三级
1032	zéi	贼	高等	1071	zhòng	重	一级
1033	zěn	怎	一级	1072	zhōu	周	二级
1034	zēng	增	三级	1073	zhóu	轴	高等
1035	zèng	赠	五级	1074	zhòu	皱	高等
1036	zhā	扎	六级	1075	zhū	猪	三级
1037	zhá	闸	高等	1076	zhú	逐	四级
1038	zhǎ	眨	高等	1077	zhǔ	主	二级
1039	zhà	炸	六级	1078	zhù	住	一级
1040	zhāi	摘	五级	1079	zhuā	抓	三级
1041	zhái	宅	六级	1080	zhuǎ	爪	高等
1042	zhǎi	窄	高等	1081	zhuài	拽	高等
1043	zhài	债	六级	1082	zhuān	专	三级
1044	zhān	沾	高等	1083	zhuǎn	转	三级
1045	zhǎn	展	三级	1084	zhuàn	赚	六级
1046	zhàn	站	一级	1085	zhuāng	装	二级

1086	zhuàng	状	三级		1099	zòu	奏	六级
1087	zhuī	追	三级		1100	zū	租	二级
1088	zhuì	坠	高等		1101	zú	足	三级
1089	zhǔn	准	一级		1102	zǔ	组	二级
1090	zhuō	桌	一级		1103	zuān	钻	六级
1091	zhuó	卓	高等		1104	zuàn	钻	高等
1092	zī	资	三级		1105	zuǐ	嘴	二级
1093	zǐ	子	一级		1106	zuì	最	一级
1094	zì	字	一级		1107	zūn	尊	五级
1095	zōng	综	四级		1108	zuó	昨	一级
1096	zǒng	总	三级		1109	zuǒ	左	一级
1097	zòng	纵	六级		1110	zuò	坐	一级
1098	zǒu	走	一级					

国际中文教育中文水平等级标准汉字表

初等（900个）

一级汉字（300个）

序号	汉字									
1	爱	33	错	66	服	99	机	132	里
2	八	34	答	67	干	100	鸡	133	两
3	爸	35	打	68	高	101	几	134	零
4	吧	36	大	69	告	102	记	135	六
5	白	37	蛋	70	哥	103	家	136	楼
6	百	38	到	71	歌	104	假	137	路
7	班	39	道	72	个	105	间	138	妈
8	半	40	得	73	给	106	见	139	马
9	帮	41	地	74	跟	107	教	140	吗
10	包	42	的	75	工	108	叫	141	买
11	杯	43	等	76	关	109	觉	142	慢
12	北	44	弟	77	馆	110	姐	143	忙
13	备	45	第	78	贵	111	介	144	毛
14	本	46	点	79	国	112	今	145	么
15	比	47	电	80	果	113	进	146	没
16	边	48	店	81	过	114	京	147	妹
17	别	49	东	82	还	115	净	148	门
18	病	50	动	83	孩	116	九	149	们
19	不	51	都	84	汉	117	就	150	米
20	菜	52	读	85	好	118	开	151	面
21	茶	53	对	86	号	119	看	152	名
22	差	54	多	87	喝	120	考	153	明
23	常	55	饿	88	和	121	渴	154	拿
24	场	56	儿	89	很	122	客	155	哪
25	唱	57	二	90	后	123	课	156	那
26	车	58	饭	91	候	124	口	157	奶
27	吃	59	方	92	花	125	块	158	男
28	出	60	房	93	话	126	快	159	南
29	穿	61	放	94	坏	127	来	160	难
30	床	62	飞	95	欢	128	老	161	脑
31	次	63	非	96	回	129	了	162	呢
32	从	64	分	97	会	130	累	163	能
		65	风	98	火	131	冷	164	你

165	年	193	绍	221	条	249	写	277	在
166	您	194	身	222	听	250	谢	278	早
167	牛	195	什	223	同	251	新	279	怎
168	女	196	生	224	图	252	星	280	站
169	旁	197	师	225	外	253	行	281	找
170	跑	198	十	226	玩	254	兴	282	这
171	朋	199	时	227	晚	255	休	283	着
172	票	200	识	228	网	256	学	284	真
173	七	201	事	229	忘	257	样	285	正
174	期	202	试	230	文	258	要	286	知
175	起	203	视	231	问	259	爷	287	中
176	气	204	是	232	我	260	也	288	重
177	汽	205	手	233	五	261	页	289	住
178	前	206	书	234	午	262	一	290	准
179	钱	207	树	235	西	263	衣	291	桌
180	请	208	谁	236	息	264	医	292	子
181	球	209	水	237	习	265	影	293	字
182	去	210	睡	238	洗	266	用	294	走
183	热	211	说	239	喜	267	友	295	最
184	人	212	四	240	系	268	有	296	昨
185	认	213	送	241	下	269	右	297	左
186	日	214	诉	242	先	270	雨	298	作
187	肉	215	岁	243	现	271	语	299	坐
188	三	216	他	244	想	272	元	300	做
189	山	217	她	245	小	273	远		
190	商	218	太	246	校	274	院		
191	上	219	体	247	笑	275	月		
192	少	220	天	248	些	276	再		

二级汉字（300个）

序号	汉字									
1	啊	36	当	72	河	108	静	144	卖
2	安	37	倒	73	黑	109	久	145	满
3	般	38	灯	74	红	110	酒	146	猫
4	板	39	低	75	忽	111	举	147	末
5	办	40	典	76	湖	112	句	148	目
6	饱	41	掉	77	护	113	卡	149	鸟
7	报	42	定	78	划	114	康	150	弄
8	背	43	冬	79	画	115	靠	151	努
9	笔	44	懂	80	换	116	科	152	爬
10	必	45	度	81	黄	117	可	153	怕
11	变	46	短	82	活	118	克	154	排
12	便	47	段	83	或	119	刻	155	碰
13	遍	48	队	84	级	120	空	156	篇
14	表	49	而	85	急	121	哭	157	片
15	部	50	发	86	己	122	筷	158	漂
16	才	51	法	87	计	123	拉	159	平
17	参	52	份	88	际	124	蓝	160	瓶
18	餐	53	封	89	绩	125	篮	161	普
19	草	54	复	90	加	126	乐	162	其
20	层	55	该	91	检	127	离	163	骑
21	查	56	改	92	件	128	礼	164	千
22	长	57	感	93	健	129	理	165	墙
23	超	58	刚	94	讲	130	力	166	且
24	晨	59	更	95	交	131	利	167	青
25	称	60	公	96	角	132	例	168	轻
26	成	61	共	97	饺	133	脸	169	清
27	楚	62	狗	98	脚	134	练	170	情
28	处	63	够	99	接	135	凉	171	晴
29	船	64	故	100	街	136	亮	172	秋
30	吹	65	顾	101	节	137	辆	173	求
31	春	66	观	102	结	138	量	174	取
32	词	67	惯	103	借	139	留	175	全
33	带	68	广	104	斤	140	流	176	确
34	单	69	海	105	近	141	旅	177	然
35	但	70	喊	106	经	142	绿	178	让
		71	合	107	睛	143	论	179	如

180	入	205	堂	230	闻	255	已	280	云
181	色	206	讨	231	务	256	以	281	运
182	声	207	套	232	物	257	椅	282	咱
183	省	208	特	233	夏	258	亿	283	脏
184	实	209	疼	234	相	259	意	284	澡
185	食	210	提	235	响	260	因	285	占
186	使	211	题	236	向	261	阴	286	照
187	示	212	铁	237	像	262	音	287	者
188	市	213	庭	238	鞋	263	银	288	直
189	适	214	停	239	心	264	印	289	只
190	室	215	挺	240	信	265	应	290	纸
191	收	216	通	241	姓	266	英	291	钟
192	受	217	头	242	须	267	迎	292	周
193	舒	218	推	243	许	268	永	293	主
194	熟	219	腿	244	选	269	由	294	助
195	数	220	完	245	雪	270	油	295	装
196	顺	221	碗	246	言	271	游	296	自
197	司	222	万	247	颜	272	又	297	租
198	思	223	王	248	眼	273	于	298	组
199	算	224	往	249	阳	274	鱼	299	嘴
200	虽	225	为	250	养	275	育	300	座
201	随	226	位	251	药	276	园		
202	所	227	味	252	业	277	原		
203	它	228	喂	253	夜	278	愿		
204	态	229	温	254	宜	279	越		

三级汉字（300个）

序号	汉字	序号	汉字	序号	汉字	序号	汉字	序号	汉字
1	按	36	代	72	光	108	境	144	命
2	把	37	待	73	规	109	旧	145	某
3	搬	38	刀	74	哈	110	救	146	母
4	保	39	导	75	害	111	具	147	木
5	被	40	底	76	何	112	剧	148	内
6	币	41	调	77	互	113	据	149	念
7	标	42	订	78	华	114	决	150	娘
8	并	43	断	79	化	115	绝	151	农
9	播	44	顿	80	环	116	咖	152	暖
10	补	45	烦	81	婚	117	恐	153	拍
11	布	46	反	82	积	118	苦	154	牌
12	步	47	范	83	基	119	裤	155	派
13	材	48	防	84	及	120	况	156	判
14	采	49	访	85	极	121	困	157	胖
15	彩	50	啡	86	集	122	浪	158	配
16	曾	51	费	87	纪	123	类	159	批
17	察	52	丰	88	技	124	李	160	皮
18	产	53	否	89	济	125	历	161	啤
19	厂	54	夫	90	继	126	立	162	品
20	朝	55	福	91	价	127	丽	163	评
21	吵	56	父	92	架	128	连	164	苹
22	衬	57	付	93	坚	129	联	165	破
23	城	58	负	94	简	130	烈	166	齐
24	程	59	富	95	建	131	领	167	奇
25	持	60	概	96	将	132	另	168	器
26	充	61	赶	97	蕉	133	龙	169	强
27	初	62	敢	98	较	134	录	170	桥
28	除	63	格	99	解	135	乱	171	巧
29	础	64	各	100	界	136	落	172	切
30	传	65	根	101	金	137	麻	173	亲
31	创	66	功	102	仅	138	冒	174	庆
32	此	67	姑	103	尽	139	媒	175	区
33	村	68	古	104	紧	140	每	176	缺
34	存	69	挂	105	精	141	美	177	裙
35	达	70	怪	106	景	142	迷	178	群
		71	管	107	警	143	民	179	任

180	仍	205	双	230	希	255	义	280	职
181	容	206	死	231	戏	256	艺	281	止
182	赛	207	似	232	显	257	议	282	指
183	散	208	速	233	险	258	易	283	至
184	沙	209	台	234	线	259	营	284	志
185	衫	210	谈	235	乡	260	赢	285	制
186	善	211	汤	236	香	261	泳	286	终
187	伤	212	糖	237	箱	262	优	287	种
188	设	213	甜	238	象	263	邮	288	众
189	社	214	跳	239	消	264	预	289	猪
190	深	215	痛	240	效	265	员	290	注
191	神	216	突	241	血	266	约	291	祝
192	升	217	土	242	形	267	杂	292	抓
193	胜	218	团	243	幸	268	造	293	专
194	失	219	退	244	性	269	责	294	转
195	石	220	望	245	修	270	增	295	状
196	始	221	危	246	需	271	展	296	追
197	世	222	围	247	续	272	张	297	资
198	式	223	伟	248	宣	273	章	298	总
199	势	224	卫	249	训	274	争	299	足
200	首	225	握	250	压	275	整	300	族
201	输	226	屋	251	烟	276	证		
202	属	227	武	252	演	277	支		
203	术	228	舞	253	验	278	汁		
204	束	229	误	254	羊	279	值		

中等（新增900个）

四级汉字（300个）

序号	汉字	33	尺	66	腐	99	季	132	厘
1	阿	34	冲	67	妇	100	既	133	俩
2	矮	35	虫	68	附	101	寄	134	炼
3	案	36	抽	69	盖	102	减	135	良
4	暗	37	窗	70	隔	103	渐	136	粮
5	巴	38	纯	71	供	104	江	137	疗
6	摆	39	刺	72	构	105	奖	138	聊
7	败	40	粗	73	购	106	降	139	料
8	伴	41	促	74	骨	107	阶	140	列
9	薄	42	寸	75	固	108	巾	141	林
10	宝	43	措	76	瓜	109	劲	142	临
11	抱	44	袋	77	官	110	禁	143	陆
12	贝	45	戴	78	逛	111	惊	144	律
13	倍	46	担	79	归	112	竟	145	虑
14	笨	47	淡	80	裹	113	镜	146	率
15	毕	48	登	81	含	114	究	147	轮
16	闭	49	敌	82	寒	115	居	148	络
17	避	50	递	83	航	116	局	149	码
18	编	51	顶	84	毫	117	巨	150	帽
19	辩	52	斗	85	厚	118	距	151	梦
20	冰	53	豆	86	乎	119	聚	152	秘
21	兵	54	独	87	呼	120	卷	153	密
22	擦	55	堵	88	户	121	均	154	免
23	财	56	肚	89	怀	122	棵	155	描
24	操	57	锻	90	缓	123	宽	156	摸
25	测	58	恶	91	挥	124	矿	157	模
26	抄	59	耳	92	汇	125	扩	158	默
27	潮	60	翻	93	伙	126	括	159	闹
28	彻	61	肥	94	货	127	垃	160	宁
29	沉	62	纷	95	获	128	辣	161	浓
30	诚	63	奋	96	圾	129	郎	162	盘
31	承	64	符	97	激	130	雷	163	培
32	迟	65	府	98	即	131	泪	164	婆

165	追	193	释	221	袜	249	呀	277	赞
166	妻	194	守	222	弯	250	延	278	则
167	企	195	授	223	微	251	严	279	择
168	浅	196	售	224	维	252	研	280	战
169	穷	197	叔	225	尾	253	盐	281	丈
170	趋	198	殊	226	未	254	扬	282	招
171	趣	199	暑	227	谓	255	腰	283	召
172	圈	200	述	228	稳	256	摇	284	折
173	权	201	刷	229	无	257	叶	285	针
174	泉	202	帅	230	吸	258	依	286	阵
175	却	203	松	231	席	259	姨	287	征
176	燃	204	俗	232	细	260	移	288	政
177	弱	205	塑	233	鲜	261	遗	289	之
178	伞	206	酸	234	咸	262	疑	290	植
179	扫	207	孙	235	县	263	译	291	址
180	森	208	缩	236	限	264	益	292	质
181	晒	209	躺	237	项	265	引	293	治
182	闪	210	梯	238	销	266	映	294	致
183	赏	211	替	239	型	267	勇	295	智
184	尚	212	填	240	醒	268	幼	296	置
185	烧	213	挑	241	兄	269	余	297	逐
186	申	214	贴	242	胸	270	与	298	著
187	甚	215	童	243	秀	271	玉	299	综
188	诗	216	统	244	序	272	遇	300	阻
189	施	217	投	245	寻	273	圆		
190	湿	218	透	246	迅	274	源		
191	史	219	途	247	牙	275	阅		
192	士	220	脱	248	亚	276	载		

五级汉字（300个）

序号	汉字	序号	汉字	序号	汉字	序号	汉字	序号	汉字
1	碍	36	辞	72	革	108	键	144	骂
2	岸	37	聪	73	沟	109	郊	145	漫
3	拔	38	脆	74	估	110	胶	146	矛
4	拜	39	呆	75	鼓	111	戒	147	贸
5	版	40	贷	76	冠	112	届	148	貌
6	扮	41	胆	77	鬼	113	竞	149	煤
7	棒	42	旦	78	柜	114	敬	150	眠
8	悲	43	弹	79	滚	115	拒	151	秒
9	辈	44	挡	80	锅	116	俱	152	敏
10	鼻	45	德	81	汗	117	军	153	摩
11	彼	46	丢	82	豪	118	烤	154	漠
12	壁	47	冻	83	核	119	颗	155	幕
13	宾	48	洞	84	盒	120	咳	156	奈
14	饼	49	毒	85	贺	121	肯	157	耐
15	玻	50	堆	86	恨	122	控	158	偶
16	博	51	吨	87	猴	123	库	159	陪
17	猜	52	盾	88	胡	124	款	160	赔
18	裁	53	朵	89	糊	125	狂	161	喷
19	册	54	躲	90	虎	126	亏	162	盆
20	叉	55	尔	91	滑	127	览	163	披
21	插	56	乏	92	慌	128	烂	164	脾
22	拆	57	罚	93	灰	129	朗	165	匹
23	柴	58	繁	94	恢	130	劳	166	骗
24	肠	59	返	95	悔	131	梨	167	拼
25	尝	60	泛	96	惠	132	璃	168	频
26	偿	61	仿	97	击	133	厉	169	凭
27	倡	62	疯	98	肌	134	励	170	泼
28	乘	63	肤	99	辑	135	怜	171	葡
29	池	64	扶	100	籍	136	帘	172	启
30	愁	65	幅	101	挤	137	恋	173	弃
31	丑	66	辅	102	夹	138	邻	174	签
32	臭	67	傅	103	甲	139	铃	175	欠
33	厨	68	纲	104	驾	140	龄	176	枪
34	触	69	钢	105	肩	141	令	177	抢
35	闯	70	糕	106	艰	142	漏	178	悄
		71	搞	107	剪	143	逻	179	敲

180	瞧	205	拾	230	吐	255	熊	280	暂
181	琴	206	驶	231	兔	256	虚	281	糟
182	勤	207	饰	232	托	257	询	282	赠
183	曲	208	柿	233	违	258	押	283	摘
184	劝	209	寿	234	唯	259	鸭	284	涨
185	染	210	瘦	235	委	260	厌	285	掌
186	扰	211	蔬	236	胃	261	艳	286	珍
187	绕	212	鼠	237	慰	262	央	287	诊
188	忍	213	摔	238	卧	263	邀	288	振
189	扔	214	硕	239	污	264	咬	289	震
190	荣	215	私	240	夕	265	乙	290	挣
191	绒	216	搜	241	析	266	忆	291	织
192	软	217	肃	242	悉	267	谊	292	执
193	润	218	宿	243	惜	268	饮	293	珠
194	洒	219	碎	244	吓	269	硬	294	竹
195	杀	220	损	245	闲	270	拥	295	筑
196	傻	221	索	246	献	271	幽	296	撞
197	扇	222	锁	247	详	272	尤	297	紫
198	稍	223	抬	248	享	273	犹	298	醉
199	蛇	224	坦	249	歇	274	羽	299	尊
200	舍	225	逃	250	协	275	域	300	遵
201	射	226	桃	251	斜	276	豫		
202	摄	227	萄	252	辛	277	怨		
203	伸	228	厅	253	欣	278	灾		
204	剩	229	偷	254	雄	279	仔		

六级汉字（300个）

序号	汉字									
1	挨	36	档	72	攻	108	剑	144	埋
2	傲	37	岛	73	宫	109	舰	145	麦
3	罢	38	蹈	74	巩	110	践	146	馒
4	榜	39	盗	75	贡	111	鉴	147	盲
5	傍	40	滴	76	孤	112	箭	148	梅
6	胞	41	抵	77	谷	113	酱	149	蒙
7	暴	42	帝	78	股	114	骄	150	盟
8	爆	43	吊	79	刮	115	焦	151	猛
9	奔	44	跌	80	拐	116	揭	152	棉
10	逼	45	督	81	贯	117	杰	153	妙
11	扁	46	赌	82	轨	118	洁	154	灭
12	拨	47	渡	83	跪	119	截	155	膜
13	波	48	端	84	憾	120	井	156	磨
14	捕	49	蹲	85	耗	121	径	157	墨
15	踩	50	夺	86	狠	122	纠	158	谋
16	残	51	额	87	横	123	捐	159	墓
17	惨	52	恩	88	衡	124	菌	160	纳
18	仓	53	番	89	宏	125	刊	161	泥
19	藏	54	凡	90	洪	126	抗	162	扭
20	厕	55	犯	91	壶	127	扣	163	怒
21	侧	56	肺	92	幻	128	酷	164	诺
22	策	57	废	93	患	129	跨	165	盼
23	昌	58	氛	94	皇	130	阔	166	泡
24	畅	59	粉	95	辉	131	啦	167	炮
25	炒	60	愤	96	毁	132	赖	168	偏
26	撤	61	峰	97	绘	133	栏	169	贫
27	撑	62	锋	98	慧	134	懒	170	聘
28	崇	63	奉	99	昏	135	牢	171	屏
29	宠	64	佛	100	混	136	梁	172	坡
30	储	65	浮	101	吉	137	谅	173	扑
31	串	66	副	102	疾	138	裂	174	铺
32	醋	67	肝	103	佳	139	灵	175	欺
33	搭	68	杆	104	嘉	140	炉	176	旗
34	诞	69	岗	105	尖	141	露	177	恰
35	党	70	港	106	监	142	略	178	迁
		71	稿	107	捡	143	嘛	179	牵

180	铅	205	苏	230	悟	255	液	280	症
181	谦	206	素	231	牺	256	仪	281	枝
182	潜	207	塔	232	嫌	257	异	282	殖
183	歉	208	踏	233	陷	258	隐	283	忠
184	茄	209	叹	234	祥	259	忧	284	肿
185	侵	210	探	235	晓	260	娱	285	粥
186	倾	211	趟	236	胁	261	愉	286	诸
187	渠	212	掏	237	谐	262	予	287	煮
188	券	213	踢	238	械	263	宇	288	驻
189	融	214	添	239	薪	264	欲	289	柱
190	乳	215	田	240	凶	265	誉	290	赚
191	若	216	铜	241	袖	266	援	291	庄
192	塞	217	徒	242	绪	267	缘	292	壮
193	丧	218	吞	243	悬	268	跃	293	捉
194	勺	219	拖	244	旋	269	晕	294	咨
195	舌	220	挖	245	循	270	允	295	宗
196	涉	221	娃	246	讯	271	遭	296	纵
197	审	222	哇	247	炎	272	扎	297	奏
198	牲	223	湾	248	沿	273	炸	298	祖
199	圣	224	顽	249	宴	274	宅	299	钻
200	盛	225	亡	250	洋	275	债	300	罪
201	薯	226	旺	251	仰	276	账		
202	爽	227	威	252	氧	277	障		
203	税	228	乌	253	耀	278	哲		
204	寺	229	伍	254	野	279	镇		

高等（新增1200个）

七—九级汉字（1200个）

序号	汉字								
1	哎	33	堡	66	勃	99	巢	132	踹
2	哀	34	豹	67	舶	100	嘲	133	川
3	癌	35	曝	68	脖	101	扯	134	喘
4	蔼	36	卑	69	搏	102	臣	135	炊
5	艾	37	碑	70	膊	103	尘	136	垂
6	唉	38	狈	71	卜	104	辰	137	捶
7	隘	39	惫	72	哺	105	陈	138	锤
8	昂	40	崩	73	怖	106	趁	139	唇
9	凹	41	绷	74	睬	107	呈	140	醇
10	熬	42	蹦	75	惭	108	惩	141	蠢
11	奥	43	鄙	76	灿	109	澄	142	戳
12	澳	44	毙	77	苍	110	橙	143	绰
13	扒	45	痹	78	沧	111	逞	144	瓷
14	叭	46	碧	79	舱	112	秤	145	慈
15	芭	47	蔽	80	糙	113	痴	146	磁
16	靶	48	弊	81	曹	114	弛	147	赐
17	坝	49	臂	82	槽	115	驰	148	匆
18	霸	50	鞭	83	蹭	116	齿	149	卤
19	掰	51	贬	84	岔	117	侈	150	葱
20	柏	52	辨	85	刹	118	耻	151	丛
21	扳	53	辫	86	诧	119	斥	152	凑
22	颁	54	飙	87	掺	120	赤	153	簇
23	斑	55	憋	88	搀	121	翅	154	窜
24	拌	56	彬	89	馋	122	仇	155	催
25	瓣	57	滨	90	禅	123	绸	156	摧
26	邦	58	缤	91	缠	124	畴	157	粹
27	绑	59	丙	92	铲	125	酬	158	翠
28	膀	60	秉	93	闸	126	稠	159	搓
29	谤	61	柄	94	颤	127	筹	160	磋
30	磅	62	剥	95	猖	128	瞅	161	挫
31	镑	63	伯	96	嫦	129	橱	162	歹
32	煲	64	驳	97	敞	130	畜	163	逮
		65	泊	98	钞	131	揣	164	怠

165	丹	204	钉	243	吩	282	搁	321	浩
166	耽	205	董	244	坟	283	割	322	呵
167	荡	206	栋	245	焚	284	阁	323	禾
168	叨	207	兜	246	粪	285	耕	324	阂
169	捣	208	抖	247	蜂	286	耿	325	荷
170	祷	209	陡	248	冯	287	弓	326	赫
171	悼	210	逗	249	逢	288	恭	327	鹤
172	稻	211	睹	250	缝	289	躬	328	嘿
173	蹬	212	杜	251	讽	290	拱	329	痕
174	邓	213	妒	252	凤	291	勾	330	哼
175	凳	214	兑	253	孵	292	钩	331	恒
176	瞪	215	敦	254	敷	293	沽	332	轰
177	堤	216	盹	255	伏	294	菇	333	哄
178	迪	217	炖	256	俘	295	辜	334	烘
179	涤	218	哆	257	袱	296	贾	335	弘
180	笛	219	舵	258	辐	297	雇	336	虹
181	蒂	220	堕	259	抚	298	寡	337	喉
182	缔	221	惰	260	斧	299	卦	338	吼
183	颠	222	讹	261	俯	300	乖	339	弧
184	巅	223	俄	262	咐	301	棺	340	唬
185	甸	224	娥	263	赴	302	灌	341	沪
186	垫	225	鹅	264	赋	303	罐	342	哗
187	淀	226	厄	265	腹	304	龟	343	猾
188	惦	227	遏	266	缚	305	闺	344	徊
189	奠	228	鳄	267	覆	306	瑰	345	淮
190	殿	229	饵	268	尬	307	桂	346	槐
191	刁	230	伐	269	丐	308	棍	347	唤
192	叼	231	阀	270	钙	309	郭	348	焕
193	雕	232	帆	271	溉	310	骇	349	痪
194	钓	233	贩	272	甘	311	酣	350	荒
195	爹	234	芳	273	竿	312	函	351	凰
196	迭	235	妨	274	尴	313	涵	352	煌
197	谍	236	肪	275	冈	314	韩	353	恍
198	叠	237	纺	276	缸	315	罕	354	晃
199	碟	238	绯	277	杠	316	旱	355	谎
200	丁	239	匪	278	膏	317	捍	356	徽
201	叮	240	诽	279	戈	318	焊	357	卉
202	盯	241	沸	280	胳	319	撼	358	讳
203	鼎	242	芬	281	鸽	320	杭	359	贿

360	秽	399	浇	438	矩	477	垮	516	莲
361	浑	400	娇	439	炬	478	挎	517	廉
362	魂	401	椒	440	惧	479	筐	518	敛
363	豁	402	跤	441	锯	480	旷	519	链
364	祸	403	礁	442	倦	481	框	520	辽
365	惑	404	嚼	443	诀	482	窥	521	僚
366	霍	405	狡	444	掘	483	魁	522	寥
367	讥	406	绞	445	崛	484	馈	523	潦
368	饥	407	矫	446	爵	485	溃	524	咧
369	缉	408	搅	447	倔	486	愧	525	劣
370	畸	409	缴	448	君	487	昆	526	猎
371	稽	410	轿	449	钧	488	捆	527	拎
372	棘	411	酵	450	俊	489	廓	528	淋
373	嫉	412	皆	451	峻	490	喇	529	赁
374	脊	413	劫	452	骏	491	腊	530	凌
375	忌	414	捷	453	竣	492	蜡	531	陵
376	剂	415	竭	454	凯	493	兰	532	岭
377	迹	416	诚	455	慨	494	拦	533	溜
378	祭	417	津	456	楷	495	婪	534	刘
379	寂	418	筋	457	勘	496	澜	535	浏
380	颊	419	锦	458	堪	497	揽	536	瘤
381	嫁	420	谨	459	侃	498	缆	537	柳
382	稼	421	晋	460	砍	499	滥	538	遛
383	奸	422	浸	461	槛	500	狼	539	咙
384	歼	423	茎	462	慷	501	廊	540	胧
385	兼	424	荆	463	扛	502	捞	541	聋
386	煎	425	晶	464	苛	503	唠	542	笼
387	拣	426	兢	465	磕	504	姥	543	隆
388	柬	427	阱	466	壳	505	涝	544	窿
389	俭	428	颈	467	垦	506	勒	545	拢
390	荐	429	窘	468	恳	507	垒	546	垄
391	贱	430	揪	469	啃	508	磊	547	搂
392	溅	431	灸	470	坑	509	蕾	548	陋
393	姜	432	舅	471	吭	510	棱	549	芦
394	浆	433	拘	472	孔	511	愣	550	卤
395	僵	434	鞠	473	抠	512	黎	551	虏
396	疆	435	菊	474	枯	513	吏	552	鲁
397	桨	436	橘	475	窟	514	隶	553	赂
398	匠	437	沮	476	夸	515	粒	554	鹿

555	碌	594	孟	633	馁	672	蓬	712	掐
556	吕	595	弥	634	嫩	673	鹏	712	洽
557	侣	596	谜	635	尼	674	篷	713	虔
558	铝	597	觅	636	拟	675	膨	714	钳
559	屡	598	泌	637	逆	676	捧	715	遣
560	缕	599	蜜	638	匿	677	劈	716	谴
561	履	600	绵	639	腻	678	疲	717	嵌
562	滤	601	勉	640	黏	679	辟	718	呛
563	栾	602	缅	641	酿	680	媲	719	腔
564	卵	603	苗	642	尿	681	僻	720	乔
565	掠	604	瞄	643	捏	682	譬	721	侨
566	抡	605	渺	644	拧	683	飘	722	俏
567	伦	606	庙	645	凝	684	撇	723	窍
568	罗	607	蔑	646	纽	685	乒	724	翘
569	萝	608	鸣	647	奴	686	坪	725	撬
570	螺	609	铭	648	虐	687	萍	726	怯
571	裸	610	谬	649	挪	688	颇	727	窃
572	迈	611	蘑	650	哦	689	魄	728	钦
573	脉	612	魔	651	欧	690	剖	729	秦
574	蛮	613	抹	652	殴	691	仆	730	禽
575	瞒	614	沫	653	呕	692	菩	731	寝
576	蔓	615	陌	654	趴	693	朴	732	擎
577	芒	616	莫	655	帕	694	浦	733	顷
578	氓	617	寞	656	徘	695	谱	734	丘
579	茫	618	牡	657	潘	696	瀑	735	囚
580	莽	619	亩	658	攀	697	沏	736	驱
581	茅	620	姆	659	叛	698	栖	737	屈
582	髦	621	沐	660	畔	699	凄	738	躯
583	茂	622	牧	661	乓	700	戚	739	娶
584	玫	623	募	662	庞	701	漆	740	拳
585	枚	624	睦	663	抛	702	歧	741	犬
586	眉	625	慕	664	刨	703	祈	742	雀
587	霉	626	暮	665	袍	704	棋	743	壤
588	昧	627	穆	666	胚	705	乞	744	攘
589	媚	628	呐	667	沛	706	岂	745	嚷
590	魅	629	乃	668	佩	707	迄	746	饶
591	闷	630	囊	669	抨	708	泣	747	惹
592	萌	631	挠	670	烹	709	契	748	仁
593	朦	632	恼	671	棚	710	砌	749	韧

750	溶	789	矢	828	颂	867	涕	906	吻
751	冗	790	氏	829	艘	868	惕	907	紊
752	柔	791	侍	830	嗽	869	舔	908	翁
753	揉	792	逝	831	酥	870	帖	909	涡
754	儒	793	嗜	832	溯	871	廷	910	窝
755	辱	794	誓	833	蒜	872	亭	911	沃
756	锐	795	匙	834	髓	873	艇	912	巫
757	瑞	796	兽	835	遂	874	捅	913	呜
758	撒	797	抒	836	隧	875	桶	914	吴
759	萨	798	枢	837	嗦	876	筒	915	侮
760	桑	799	梳	838	塌	877	凸	916	捂
761	嗓	800	疏	839	胎	878	秃	917	勿
762	骚	801	赎	840	汰	879	涂	918	晤
763	嫂	802	署	841	泰	880	屠	919	雾
764	臊	803	蜀	842	贪	881	颓	920	昔
765	僧	804	曙	843	摊	882	屯	921	晰
766	纱	805	竖	844	滩	883	驮	922	稀
767	砂	806	恕	845	瘫	884	妥	923	锡
768	鲨	807	墅	846	坛	885	拓	924	溪
769	厦	808	耍	847	痰	886	唾	925	熙
770	筛	809	衰	848	潭	887	蛙	926	熄
771	删	810	甩	849	毯	888	瓦	927	膝
772	煽	811	拴	850	炭	889	歪	928	嬉
773	擅	812	栓	851	碳	890	丸	929	袭
774	膳	813	涮	852	唐	891	挽	930	媳
775	赡	814	霜	853	塘	892	惋	931	隙
776	捎	815	瞬	854	膛	893	婉	932	虾
777	梢	816	烁	855	倘	894	腕	933	瞎
778	哨	817	丝	856	淌	895	汪	934	侠
779	奢	818	斯	857	烫	896	枉	935	峡
780	慑	819	撕	858	涛	897	妄	936	狭
781	绅	820	伺	859	滔	898	伪	937	辖
782	肾	821	祀	860	陶	899	纬	938	霞
783	渗	822	饲	861	淘	900	萎	939	仙
784	慎	823	肆	862	腾	901	畏	940	纤
785	绳	824	耸	863	藤	902	魏	941	掀
786	尸	825	讼	864	剔	903	瘟	942	贤
787	狮	826	宋	865	屉	904	纹	943	弦
788	蚀	827	诵	866	剃	905	蚊	944	衔

945	宪	984	旭	1023	痒	1062	咏	1102	赃
946	馅	985	叙	1024	漾	1063	涌	1102	葬
947	羡	986	恤	1025	妖	1064	踊	1103	凿
948	腺	987	酗	1026	窑	1065	悠	1104	枣
949	厢	988	絮	1027	谣	1066	佑	1105	藻
950	镶	989	婿	1028	遥	1067	诱	1106	皂
951	翔	990	蓄	1029	钥	1068	渔	1107	灶
952	巷	991	喧	1030	椰	1069	逾	1108	噪
953	橡	992	玄	1031	冶	1070	渝	1109	燥
954	削	993	炫	1032	伊	1071	愚	1110	躁
955	宵	994	靴	1033	夷	1072	舆	1111	泽
956	萧	995	穴	1034	怡	1073	屿	1112	贼
957	潇	996	勋	1035	矣	1074	驭	1113	渣
958	淆	997	熏	1036	倚	1075	吁	1114	闸
959	孝	998	旬	1037	屹	1076	郁	1115	眨
960	肖	999	巡	1038	亦	1077	狱	1116	诈
961	啸	1000	汛	1039	抑	1078	浴	1117	榨
962	邪	1001	驯	1040	役	1079	喻	1118	窄
963	挟	1002	逊	1041	绎	1080	御	1119	寨
964	携	1003	丫	1042	弈	1081	寓	1120	沾
965	泄	1004	鸦	1043	疫	1082	裕	1121	粘
966	泻	1005	芽	1044	逸	1083	愈	1122	瞻
967	卸	1006	崖	1045	裔	1084	冤	1123	斩
968	屑	1007	涯	1046	溢	1085	渊	1124	盏
969	懈	1008	哑	1047	毅	1086	袁	1125	崭
970	芯	1009	雅	1048	翼	1087	曰	1126	绽
971	馨	1010	讶	1049	荫	1088	岳	1127	蘸
972	衅	1011	咽	1050	姻	1089	悦	1128	彰
973	猩	1012	淹	1051	殷	1090	粤	1129	仗
974	腥	1013	岩	1052	瘾	1091	匀	1130	杖
975	刑	1014	阎	1053	婴	1092	陨	1131	帐
976	汹	1015	衍	1054	鹰	1093	孕	1132	胀
977	羞	1016	掩	1055	荧	1094	酝	1133	沼
978	朽	1017	雁	1056	盈	1095	韵	1134	兆
979	绣	1018	焰	1057	莹	1096	蕴	1135	赵
980	锈	1019	燕	1058	蝇	1097	砸	1136	罩
981	嗅	1020	殃	1059	颖	1098	栽	1137	肇
982	墟	1021	秧	1060	佣	1099	宰	1138	遮
983	徐	1022	杨	1061	庸	1100	攒	1139	辙

1140	浙	1153	帜	1166	宙	1179	拽	1192	琢
1141	贞	1154	峙	1167	昼	1180	砖	1193	姿
1142	侦	1155	挚	1168	皱	1181	撰	1194	兹
1143	枕	1156	秩	1169	骤	1182	妆	1195	滋
1144	睁	1157	窒	1170	朱	1183	桩	1196	踪
1145	筝	1158	滞	1171	株	1184	幢	1197	粽
1146	蒸	1159	稚	1172	烛	1185	坠	1198	揍
1147	拯	1160	衷	1173	拄	1186	缀	1199	卒
1148	郑	1161	仲	1174	嘱	1187	拙	1200	佐
1149	芝	1162	舟	1175	瞩	1188	灼		
1150	肢	1163	州	1176	贮	1189	卓		
1151	脂	1164	洲	1177	铸	1190	浊		
1152	旨	1165	轴	1178	爪	1191	酌		

按音序排列的汉字表（3000 个）

序号	汉字	等级						
1	阿	四级	36	霸	高等	72	薄	四级
2	啊	二级	37	吧	一级	73	饱	二级
3	哎	高等	38	掰	高等	74	宝	四级
4	哀	高等	39	白	一级	75	保	三级
5	挨	六级	40	百	一级	76	堡	高等
6	癌	高等	41	柏	高等	77	报	二级
7	矮	四级	42	摆	四级	78	抱	四级
8	蔼	高等	43	败	四级	79	豹	高等
9	艾	高等	44	拜	五级	80	暴	六级
10	唉	高等	45	扳	高等	81	曝	高等
11	爱	一级	46	班	一级	82	爆	六级
12	隘	高等	47	般	二级	83	杯	一级
13	碍	五级	48	颁	高等	84	卑	高等
14	安	二级	49	斑	高等	85	悲	五级
15	岸	五级	50	搬	三级	86	碑	高等
16	按	三级	51	板	二级	87	北	一级
17	案	四级	52	版	五级	88	贝	四级
18	暗	四级	53	办	二级	89	狈	高等
19	昂	高等	54	半	一级	90	备	一级
20	凹	高等	55	扮	五级	91	背	二级
21	熬	高等	56	伴	四级	92	倍	四级
22	傲	六级	57	拌	高等	93	被	三级
23	奥	高等	58	瓣	高等	94	辈	五级
24	澳	高等	59	邦	高等	95	惫	高等
25	八	一级	60	帮	一级	96	奔	六级
26	巴	四级	61	绑	高等	97	本	一级
27	扒	高等	62	榜	六级	98	笨	四级
28	叭	高等	63	膀	高等	99	崩	高等
29	芭	高等	64	棒	五级	100	绷	高等
30	拔	五级	65	傍	六级	101	蹦	高等
31	把	三级	66	谤	高等	102	逼	六级
32	靶	高等	67	磅	高等	103	鼻	五级
33	坝	高等	68	镑	高等	104	比	一级
34	爸	一级	69	包	一级	105	彼	五级
35	罢	六级	70	胞	六级	106	笔	二级
			71	煲	高等	107	鄙	高等

108	币	三级		147	病	一级		186	惨	六级
109	必	二级		148	拨	六级		187	灿	高等
110	毕	四级		149	波	六级		188	仓	六级
111	闭	四级		150	玻	五级		189	苍	高等
112	毙	高等		151	剥	高等		190	沧	高等
113	痹	高等		152	播	三级		191	舱	高等
114	碧	高等		153	伯	高等		192	藏	六级
115	蔽	高等		154	驳	高等		193	操	四级
116	弊	高等		155	泊	高等		194	糙	高等
117	壁	五级		156	勃	高等		195	曹	高等
118	避	四级		157	舶	高等		196	槽	高等
119	臂	高等		158	脖	高等		197	草	二级
120	边	一级		159	博	五级		198	册	五级
121	编	四级		160	搏	高等		199	厕	六级
122	鞭	高等		161	膊	高等		200	侧	六级
123	贬	高等		162	卜	高等		201	测	四级
124	扁	六级		163	补	三级		202	策	六级
125	变	二级		164	捕	六级		203	层	二级
126	便	二级		165	哺	高等		204	曾	三级
127	遍	二级		166	不	一级		205	蹭	高等
128	辨	高等		167	布	三级		206	叉	五级
129	辩	四级		168	步	三级		207	插	五级
130	辫	高等		169	怖	高等		208	茶	一级
131	标	三级		170	部	二级		209	查	二级
132	飙	高等		171	擦	四级		210	察	三级
133	表	二级		172	猜	五级		211	岔	高等
134	憋	高等		173	才	二级		212	刹	高等
135	别	一级		174	材	三级		213	诧	高等
136	宾	五级		175	财	四级		214	差	一级
137	彬	高等		176	裁	五级		215	拆	五级
138	滨	高等		177	采	三级		216	柴	五级
139	缤	高等		178	彩	三级		217	掺	高等
140	冰	四级		179	睬	高等		218	搀	高等
141	兵	四级		180	踩	六级		219	馋	高等
142	丙	高等		181	菜	一级		220	禅	高等
143	秉	高等		182	参	二级		221	缠	高等
144	柄	高等		183	餐	二级		222	产	三级
145	饼	五级		184	残	六级		223	铲	高等
146	并	三级		185	惭	高等		224	阐	高等

225	颤	高等	264	呈	高等	303	瞅	高等
226	昌	六级	265	诚	四级	304	臭	五级
227	猖	高等	266	承	四级	305	出	一级
228	长	二级	267	城	三级	306	初	三级
229	肠	五级	268	乘	五级	307	除	三级
230	尝	五级	269	程	三级	308	厨	五级
231	常	一级	270	惩	高等	309	橱	高等
232	偿	五级	271	澄	高等	310	础	三级
233	嫦	高等	272	橙	高等	311	储	六级
234	厂	三级	273	逞	高等	312	楚	二级
235	场	一级	274	秤	高等	313	处	二级
236	敞	高等	275	吃	一级	314	畜	高等
237	畅	六级	276	痴	高等	315	触	五级
238	倡	五级	277	池	五级	316	揣	高等
239	唱	一级	278	弛	高等	317	踹	高等
240	抄	四级	279	驰	高等	318	川	高等
241	钞	高等	280	迟	四级	319	穿	一级
242	超	二级	281	持	三级	320	传	三级
243	巢	高等	282	尺	四级	321	船	二级
244	朝	三级	283	齿	高等	322	喘	高等
245	嘲	高等	284	侈	高等	323	串	六级
246	潮	四级	285	耻	高等	324	窗	四级
247	吵	三级	286	斥	高等	325	床	一级
248	炒	六级	287	赤	高等	326	闯	五级
249	车	一级	288	翅	高等	327	创	三级
250	扯	高等	289	冲	四级	328	吹	二级
251	彻	四级	290	充	三级	329	炊	高等
252	撤	六级	291	虫	四级	330	垂	高等
253	臣	高等	292	崇	六级	331	捶	高等
254	尘	高等	293	宠	六级	332	锤	高等
255	辰	高等	294	抽	四级	333	春	二级
256	沉	四级	295	仇	高等	334	纯	四级
257	陈	高等	296	绸	高等	335	唇	高等
258	晨	二级	297	畴	高等	336	醇	高等
259	衬	三级	298	酬	高等	337	蠢	高等
260	趁	高等	299	稠	高等	338	戳	高等
261	称	二级	300	愁	五级	339	绰	高等
262	撑	六级	301	筹	高等	340	词	二级
263	成	二级	302	丑	五级	341	瓷	高等

按音序排列的汉字表

342	辞	五级	381	逮	高等	420	地	一级
343	慈	高等	382	代	三级	421	的	一级
344	磁	高等	383	带	二级	422	灯	二级
345	此	三级	384	贷	五级	423	登	四级
346	次	一级	385	待	三级	424	蹬	高等
347	刺	四级	386	怠	高等	425	等	一级
348	赐	高等	387	袋	四级	426	邓	高等
349	匆	高等	388	戴	四级	427	凳	高等
350	囱	高等	389	丹	高等	428	瞪	高等
351	葱	高等	390	担	四级	429	低	二级
352	聪	五级	391	单	二级	430	堤	高等
353	从	一级	392	耽	高等	431	滴	六级
354	丛	高等	393	胆	五级	432	迪	高等
355	凑	高等	394	旦	五级	433	敌	四级
356	粗	四级	395	但	二级	434	涤	高等
357	促	四级	396	诞	六级	435	笛	高等
358	醋	六级	397	淡	四级	436	抵	六级
359	簇	高等	398	弹	五级	437	底	三级
360	窜	高等	399	蛋	一级	438	弟	一级
361	催	高等	400	当	二级	439	帝	六级
362	摧	高等	401	挡	五级	440	递	四级
363	脆	五级	402	党	六级	441	第	一级
364	粹	高等	403	荡	高等	442	蒂	高等
365	翠	高等	404	档	六级	443	缔	高等
366	村	三级	405	刀	三级	444	颠	高等
367	存	三级	406	叨	高等	445	巅	高等
368	寸	四级	407	导	三级	446	典	二级
369	搓	高等	408	岛	六级	447	点	一级
370	磋	高等	409	捣	高等	448	电	一级
371	挫	高等	410	倒	二级	449	甸	高等
372	措	四级	411	祷	高等	450	店	一级
373	错	一级	412	蹈	六级	451	垫	高等
374	搭	六级	413	到	一级	452	淀	高等
375	达	三级	414	盗	六级	453	惦	高等
376	答	一级	415	悼	高等	454	奠	高等
377	打	一级	416	道	一级	455	殿	高等
378	大	一级	417	稻	高等	456	刁	高等
379	呆	五级	418	得	一级	457	叼	高等
380	歹	高等	419	德	五级	458	雕	高等

459	吊	六级	498	赌	六级	537	遏	高等
460	钓	高等	499	睹	高等	538	鳄	高等
461	调	三级	500	杜	高等	539	恩	六级
462	掉	二级	501	肚	四级	540	儿	一级
463	爹	高等	502	妒	高等	541	而	二级
464	跌	六级	503	度	二级	542	尔	五级
465	迭	高等	504	渡	六级	543	耳	四级
466	谍	高等	505	端	六级	544	饵	高等
467	叠	高等	506	短	二级	545	二	一级
468	碟	高等	507	段	二级	546	发	二级
469	丁	高等	508	断	三级	547	乏	五级
470	叮	高等	509	锻	四级	548	伐	高等
471	盯	高等	510	堆	五级	549	罚	五级
472	顶	四级	511	队	二级	550	阀	高等
473	鼎	高等	512	对	一级	551	法	二级
474	订	三级	513	兑	高等	552	帆	高等
475	钉	高等	514	吨	五级	553	番	六级
476	定	二级	515	敦	高等	554	翻	四级
477	丢	五级	516	蹲	六级	555	凡	六级
478	东	一级	517	盹	高等	556	烦	三级
479	冬	二级	518	炖	高等	557	繁	五级
480	董	高等	519	盾	五级	558	反	三级
481	懂	二级	520	顿	三级	559	返	五级
482	动	一级	521	多	一级	560	犯	六级
483	冻	五级	522	哆	高等	561	饭	一级
484	栋	高等	523	夺	六级	562	泛	五级
485	洞	五级	524	朵	五级	563	范	三级
486	都	一级	525	躲	五级	564	贩	高等
487	兜	高等	526	舵	高等	565	方	一级
488	抖	高等	527	堕	高等	566	芳	高等
489	陡	高等	528	惰	高等	567	防	三级
490	斗	四级	529	讹	高等	568	妨	高等
491	豆	四级	530	俄	高等	569	肪	高等
492	逗	高等	531	娥	高等	570	房	一级
493	督	六级	532	鹅	高等	571	仿	五级
494	毒	五级	533	额	六级	572	访	三级
495	独	四级	534	恶	四级	573	纺	高等
496	读	一级	535	厄	高等	574	放	一级
497	堵	四级	536	饿	一级	575	飞	一级

576	非	一级		615	孵	高等		654	溉	高等
577	啡	三级		616	敷	高等		655	概	三级
578	绯	高等		617	伏	高等		656	干	一级
579	肥	四级		618	扶	五级		657	甘	高等
580	匪	高等		619	服	一级		658	肝	六级
581	诽	高等		620	俘	高等		659	竿	高等
582	肺	六级		621	浮	六级		660	尴	高等
583	废	六级		622	符	四级		661	杆	六级
584	沸	高等		623	袱	高等		662	赶	三级
585	费	三级		624	幅	五级		663	敢	三级
586	分	一级		625	辐	高等		664	感	二级
587	芬	高等		626	福	三级		665	冈	高等
588	吩	高等		627	抚	高等		666	刚	二级
589	纷	四级		628	斧	高等		667	纲	五级
590	氛	六级		629	府	四级		668	钢	五级
591	坟	高等		630	俯	高等		669	缸	高等
592	焚	高等		631	辅	五级		670	岗	六级
593	粉	六级		632	腐	四级		671	港	六级
594	份	二级		633	父	三级		672	杠	高等
595	奋	四级		634	付	三级		673	高	一级
596	粪	高等		635	负	三级		674	膏	高等
597	愤	六级		636	妇	四级		675	糕	五级
598	丰	三级		637	附	四级		676	搞	五级
599	风	一级		638	咐	高等		677	稿	六级
600	封	二级		639	赴	高等		678	告	一级
601	疯	五级		640	复	二级		679	戈	高等
602	峰	六级		641	副	六级		680	哥	一级
603	锋	六级		642	赋	高等		681	胳	高等
604	蜂	高等		643	傅	五级		682	鸽	高等
605	冯	高等		644	富	三级		683	搁	高等
606	逢	高等		645	腹	高等		684	割	高等
607	缝	高等		646	缚	高等		685	歌	一级
608	讽	高等		647	覆	高等		686	革	五级
609	凤	高等		648	尬	高等		687	阁	高等
610	奉	六级		649	该	二级		688	格	三级
611	佛	六级		650	改	二级		689	隔	四级
612	否	三级		651	丐	高等		690	个	一级
613	夫	三级		652	钙	高等		691	各	三级
614	肤	五级		653	盖	四级		692	给	一级

693	根	三级		732	顾	二级		771	国	一级
694	跟	一级		733	雇	高等		772	果	一级
695	耕	高等		734	瓜	四级		773	裹	四级
696	耿	高等		735	刮	六级		774	过	一级
697	更	二级		736	寡	高等		775	哈	三级
698	工	一级		737	卦	高等		776	还	一级
699	弓	高等		738	挂	三级		777	孩	一级
700	公	二级		739	乖	高等		778	海	二级
701	功	三级		740	拐	六级		779	骇	高等
702	攻	六级		741	怪	三级		780	害	三级
703	供	四级		742	关	一级		781	酣	高等
704	宫	六级		743	观	二级		782	含	四级
705	恭	高等		744	官	四级		783	函	高等
706	躬	高等		745	棺	高等		784	涵	高等
707	巩	六级		746	馆	一级		785	韩	高等
708	拱	高等		747	管	三级		786	寒	四级
709	共	二级		748	贯	六级		787	罕	高等
710	贡	六级		749	冠	五级		788	喊	二级
711	勾	高等		750	惯	二级		789	汉	一级
712	沟	五级		751	灌	高等		790	汗	五级
713	钩	高等		752	罐	高等		791	旱	高等
714	狗	二级		753	光	三级		792	捍	高等
715	构	四级		754	广	二级		793	焊	高等
716	购	四级		755	逛	四级		794	撼	高等
717	够	二级		756	归	四级		795	憾	六级
718	估	五级		757	龟	高等		796	杭	高等
719	沽	高等		758	规	三级		797	航	四级
720	孤	六级		759	闺	高等		798	毫	四级
721	姑	三级		760	瑰	高等		799	豪	五级
722	菇	高等		761	轨	六级		800	好	一级
723	辜	高等		762	鬼	五级		801	号	一级
724	古	三级		763	柜	五级		802	耗	六级
725	谷	六级		764	贵	一级		803	浩	高等
726	股	六级		765	桂	高等		804	呵	高等
727	骨	四级		766	跪	六级		805	喝	一级
728	贾	高等		767	滚	五级		806	禾	高等
729	鼓	五级		768	棍	高等		807	合	二级
730	固	四级		769	郭	高等		808	何	三级
731	故	二级		770	锅	五级		809	和	一级

810	河	二级		849	糊	五级		888	灰	五级
811	阂	高等		850	虎	五级		889	挥	四级
812	荷	高等		851	唬	高等		890	恢	五级
813	核	五级		852	互	三级		891	辉	六级
814	盒	五级		853	户	四级		892	徽	高等
815	贺	五级		854	护	二级		893	回	一级
816	赫	高等		855	沪	高等		894	悔	五级
817	鹤	高等		856	花	一级		895	毁	六级
818	黑	二级		857	华	三级		896	卉	高等
819	嘿	高等		858	哗	高等		897	汇	四级
820	痕	高等		859	猾	高等		898	会	一级
821	很	一级		860	滑	五级		899	讳	高等
822	狠	六级		861	化	三级		900	绘	六级
823	恨	五级		862	划	二级		901	贿	高等
824	哼	高等		863	画	二级		902	秽	高等
825	恒	高等		864	话	一级		903	惠	五级
826	横	六级		865	怀	四级		904	慧	六级
827	衡	六级		866	徊	高等		905	昏	六级
828	轰	高等		867	淮	高等		906	婚	三级
829	哄	高等		868	槐	高等		907	浑	高等
830	烘	高等		869	坏	一级		908	魂	高等
831	弘	高等		870	欢	一级		909	混	六级
832	红	二级		871	环	三级		910	豁	高等
833	宏	六级		872	缓	四级		911	活	二级
834	虹	高等		873	幻	六级		912	火	一级
835	洪	六级		874	换	二级		913	伙	四级
836	喉	高等		875	唤	高等		914	或	二级
837	猴	五级		876	患	六级		915	货	四级
838	吼	高等		877	焕	高等		916	获	四级
839	后	一级		878	痪	高等		917	祸	高等
840	厚	四级		879	荒	高等		918	惑	高等
841	候	一级		880	慌	五级		919	霍	高等
842	乎	四级		881	皇	六级		920	讥	高等
843	呼	四级		882	黄	二级		921	击	五级
844	忽	二级		883	凰	高等		922	饥	高等
845	弧	高等		884	煌	高等		923	圾	四级
846	胡	五级		885	恍	高等		924	机	一级
847	壶	六级		886	晃	高等		925	肌	五级
848	湖	二级		887	谎	高等		926	鸡	一级

927	积	三级	966	夹	五级	1005	践	六级
928	基	三级	967	佳	六级	1006	溅	高等
929	缉	高等	968	家	一级	1007	鉴	六级
930	畸	高等	969	嘉	六级	1008	键	五级
931	稽	高等	970	颊	高等	1009	箭	六级
932	激	四级	971	甲	五级	1010	江	四级
933	及	三级	972	价	三级	1011	将	三级
934	吉	六级	973	驾	五级	1012	姜	高等
935	级	二级	974	架	三级	1013	浆	高等
936	极	三级	975	假	一级	1014	僵	高等
937	即	四级	976	嫁	高等	1015	疆	高等
938	急	二级	977	稼	高等	1016	讲	二级
939	疾	六级	978	尖	六级	1017	奖	四级
940	棘	高等	979	奸	高等	1018	桨	高等
941	集	三级	980	歼	高等	1019	匠	高等
942	辑	五级	981	坚	三级	1020	降	四级
943	嫉	高等	982	间	一级	1021	酱	六级
944	籍	五级	983	肩	五级	1022	交	二级
945	几	一级	984	艰	五级	1023	郊	五级
946	己	二级	985	监	六级	1024	浇	高等
947	挤	五级	986	兼	高等	1025	娇	高等
948	脊	高等	987	煎	高等	1026	骄	六级
949	计	二级	988	拣	高等	1027	胶	五级
950	记	一级	989	柬	高等	1028	教	一级
951	纪	三级	990	俭	高等	1029	椒	高等
952	技	三级	991	捡	六级	1030	焦	六级
953	忌	高等	992	检	二级	1031	跤	高等
954	际	二级	993	减	四级	1032	蕉	三级
955	季	四级	994	剪	五级	1033	礁	高等
956	剂	高等	995	简	三级	1034	嚼	高等
957	迹	高等	996	见	一级	1035	角	二级
958	济	三级	997	件	二级	1036	狡	高等
959	既	四级	998	建	三级	1037	饺	二级
960	继	三级	999	荐	高等	1038	绞	高等
961	祭	高等	1000	贱	高等	1039	矫	高等
962	寄	四级	1001	剑	六级	1040	脚	二级
963	寂	高等	1002	健	二级	1041	搅	高等
964	绩	二级	1003	舰	六级	1042	缴	高等
965	加	二级	1004	渐	四级	1043	叫	一级

1044	觉	一级		1083	晋	高等		1122	鞠	高等
1045	轿	高等		1084	浸	高等		1123	局	四级
1046	较	三级		1085	禁	四级		1124	菊	高等
1047	酵	高等		1086	茎	高等		1125	橘	高等
1048	阶	四级		1087	京	一级		1126	沮	高等
1049	皆	高等		1088	经	二级		1127	矩	高等
1050	接	二级		1089	荆	高等		1128	举	二级
1051	揭	六级		1090	惊	四级		1129	巨	四级
1052	街	二级		1091	晶	高等		1130	句	二级
1053	节	二级		1092	睛	二级		1131	拒	五级
1054	劫	高等		1093	兢	高等		1132	具	三级
1055	杰	六级		1094	精	三级		1133	炬	高等
1056	洁	六级		1095	井	六级		1134	俱	五级
1057	结	二级		1096	阱	高等		1135	剧	三级
1058	捷	高等		1097	颈	高等		1136	据	三级
1059	截	六级		1098	景	三级		1137	距	四级
1060	竭	高等		1099	警	三级		1138	惧	高等
1061	姐	一级		1100	径	六级		1139	锯	高等
1062	解	三级		1101	净	一级		1140	聚	四级
1063	介	一级		1102	竞	五级		1141	捐	六级
1064	戒	五级		1103	竟	四级		1142	卷	四级
1065	届	五级		1104	敬	五级		1143	倦	高等
1066	界	三级		1105	静	二级		1144	决	三级
1067	诫	高等		1106	境	三级		1145	诀	高等
1068	借	二级		1107	镜	四级		1146	绝	三级
1069	巾	四级		1108	窘	高等		1147	掘	高等
1070	斤	二级		1109	纠	六级		1148	崛	高等
1071	今	一级		1110	究	四级		1149	爵	高等
1072	金	三级		1111	揪	高等		1150	倔	高等
1073	津	高等		1112	九	一级		1151	军	五级
1074	筋	高等		1113	久	二级		1152	均	四级
1075	仅	三级		1114	灸	高等		1153	君	高等
1076	尽	三级		1115	酒	二级		1154	钧	高等
1077	紧	三级		1116	旧	三级		1155	菌	六级
1078	锦	高等		1117	救	三级		1156	俊	高等
1079	谨	高等		1118	就	一级		1157	峻	高等
1080	进	一级		1119	舅	高等		1158	骏	高等
1081	近	二级		1120	拘	高等		1159	竣	高等
1082	劲	四级		1121	居	四级		1160	咖	三级

1161	卡	二级		1200	孔	高等		1239	阔	六级
1162	开	一级		1201	恐	三级		1240	廓	高等
1163	凯	高等		1202	控	五级		1241	垃	四级
1164	慨	高等		1203	抠	高等		1242	拉	二级
1165	楷	高等		1204	口	一级		1243	喇	高等
1166	刊	六级		1205	扣	六级		1244	腊	高等
1167	勘	高等		1206	枯	高等		1245	蜡	高等
1168	堪	高等		1207	哭	二级		1246	辣	四级
1169	侃	高等		1208	窟	高等		1247	啦	六级
1170	砍	高等		1209	苦	三级		1248	来	一级
1171	槛	高等		1210	库	五级		1249	赖	六级
1172	看	一级		1211	裤	三级		1250	兰	高等
1173	康	二级		1212	酷	六级		1251	拦	高等
1174	慷	高等		1213	夸	高等		1252	栏	六级
1175	扛	高等		1214	垮	高等		1253	婪	高等
1176	抗	六级		1215	挎	高等		1254	蓝	二级
1177	考	一级		1216	跨	六级		1255	澜	高等
1178	烤	五级		1217	块	一级		1256	篮	二级
1179	靠	二级		1218	快	一级		1257	览	五级
1180	苛	高等		1219	筷	二级		1258	揽	高等
1181	科	二级		1220	宽	四级		1259	缆	高等
1182	棵	四级		1221	款	五级		1260	懒	六级
1183	颗	五级		1222	筐	高等		1261	烂	五级
1184	磕	高等		1223	狂	五级		1262	滥	高等
1185	壳	高等		1224	旷	高等		1263	郎	四级
1186	咳	五级		1225	况	三级		1264	狼	高等
1187	可	二级		1226	矿	四级		1265	廊	高等
1188	渴	一级		1227	框	高等		1266	朗	五级
1189	克	二级		1228	亏	五级		1267	浪	三级
1190	刻	二级		1229	窥	高等		1268	捞	高等
1191	客	一级		1230	魁	高等		1269	劳	五级
1192	课	一级		1231	馈	高等		1270	牢	六级
1193	肯	五级		1232	溃	高等		1271	唠	高等
1194	垦	高等		1233	愧	高等		1272	老	一级
1195	恳	高等		1234	昆	高等		1273	姥	高等
1196	啃	高等		1235	捆	高等		1274	涝	高等
1197	坑	高等		1236	困	三级		1275	乐	二级
1198	吭	高等		1237	扩	四级		1276	了	一级
1199	空	二级		1238	括	四级		1277	勒	高等

1278	雷	四级		1317	练	二级		1356	领	三级
1279	垒	高等		1318	炼	四级		1357	另	三级
1280	磊	高等		1319	恋	五级		1358	令	五级
1281	蕾	高等		1320	链	高等		1359	溜	高等
1282	泪	四级		1321	良	四级		1360	刘	高等
1283	类	三级		1322	凉	二级		1361	浏	高等
1284	累	一级		1323	梁	六级		1362	留	二级
1285	棱	高等		1324	粮	四级		1363	流	二级
1286	冷	一级		1325	两	一级		1364	瘤	高等
1287	愣	高等		1326	亮	二级		1365	柳	高等
1288	厘	四级		1327	谅	六级		1366	六	一级
1289	离	二级		1328	辆	二级		1367	遛	高等
1290	梨	五级		1329	量	二级		1368	龙	三级
1291	璃	五级		1330	辽	高等		1369	咙	高等
1292	黎	高等		1331	疗	四级		1370	胧	高等
1293	礼	二级		1332	聊	四级		1371	聋	高等
1294	李	三级		1333	僚	高等		1372	笼	高等
1295	里	一级		1334	寥	高等		1373	隆	高等
1296	理	二级		1335	潦	高等		1374	窿	高等
1297	力	二级		1336	料	四级		1375	拢	高等
1298	历	三级		1337	咧	高等		1376	垄	高等
1299	厉	五级		1338	列	四级		1377	楼	一级
1300	立	三级		1339	劣	高等		1378	搂	高等
1301	吏	高等		1340	烈	三级		1379	陋	高等
1302	丽	三级		1341	猎	高等		1380	漏	五级
1303	励	五级		1342	裂	六级		1381	芦	高等
1304	利	二级		1343	拎	高等		1383	炉	六级
1305	例	二级		1344	邻	五级		1383	卤	高等
1306	隶	高等		1345	林	四级		1384	虏	高等
1307	粒	高等		1346	临	四级		1385	鲁	高等
1308	俩	四级		1347	淋	高等		1386	陆	四级
1309	连	三级		1348	赁	高等		1387	录	三级
1310	怜	五级		1349	灵	六级		1388	赂	高等
1311	帘	五级		1350	铃	五级		1389	鹿	高等
1312	莲	高等		1351	凌	高等		1390	碌	高等
1313	联	三级		1352	陵	高等		1391	路	一级
1314	廉	高等		1353	零	一级		1392	露	六级
1315	敛	高等		1354	龄	五级		1393	吕	高等
1316	脸	二级		1355	岭	高等		1394	侣	高等

编号	汉字	等级	编号	汉字	等级	编号	汉字	等级
1395	旅	二级	1434	蛮	高等	1473	门	一级
1396	铝	高等	1435	馒	六级	1474	们	一级
1397	屡	高等	1436	瞒	高等	1475	蒙	六级
1398	缕	高等	1437	满	二级	1476	萌	高等
1399	履	高等	1438	蔓	高等	1477	盟	六级
1400	律	四级	1439	漫	五级	1478	朦	高等
1401	虑	四级	1440	慢	一级	1479	猛	六级
1402	率	四级	1441	芒	高等	1480	孟	高等
1403	绿	二级	1442	忙	一级	1481	梦	四级
1404	滤	高等	1443	盲	六级	1482	弥	高等
1405	孪	高等	1444	氓	高等	1483	迷	三级
1406	卵	高等	1445	茫	高等	1484	谜	高等
1407	乱	三级	1446	莽	高等	1485	米	一级
1408	掠	高等	1447	猫	二级	1486	觅	高等
1409	略	六级	1448	毛	一级	1487	泌	高等
1410	抡	高等	1449	矛	五级	1488	秘	四级
1411	伦	高等	1450	茅	高等	1489	密	四级
1412	轮	四级	1451	髦	高等	1490	蜜	高等
1413	论	二级	1452	茂	高等	1491	眠	五级
1414	罗	高等	1453	冒	三级	1492	绵	高等
1415	萝	高等	1454	贸	五级	1493	棉	六级
1416	逻	五级	1455	帽	四级	1494	免	四级
1417	螺	高等	1456	貌	五级	1495	勉	高等
1418	裸	高等	1457	么	一级	1496	缅	高等
1419	络	四级	1458	没	一级	1497	面	一级
1420	落	三级	1459	玫	高等	1498	苗	高等
1421	妈	一级	1460	枚	高等	1499	描	四级
1422	麻	三级	1461	眉	高等	1500	瞄	高等
1423	马	一级	1462	梅	六级	1501	秒	五级
1424	码	四级	1463	媒	三级	1502	渺	高等
1425	骂	五级	1464	煤	五级	1503	妙	六级
1426	吗	一级	1465	霉	高等	1504	庙	高等
1427	嘛	六级	1466	每	三级	1505	灭	六级
1428	埋	六级	1467	美	三级	1506	蔑	高等
1429	买	一级	1468	妹	一级	1507	民	三级
1430	迈	高等	1469	昧	高等	1508	敏	五级
1431	麦	六级	1470	媚	高等	1509	名	一级
1432	卖	二级	1471	魅	高等	1510	明	一级
1433	脉	高等	1472	闷	高等	1511	鸣	高等

1512	铭	高等		1551	呐	高等		1590	扭	六级
1513	命	三级		1552	纳	六级		1591	纽	高等
1514	谬	高等		1553	乃	高等		1592	农	三级
1515	摸	四级		1554	奶	一级		1593	浓	四级
1516	模	四级		1555	奈	五级		1594	弄	二级
1517	膜	六级		1556	耐	五级		1595	奴	高等
1518	摩	五级		1557	男	一级		1596	努	二级
1519	磨	六级		1558	南	一级		1597	怒	六级
1520	蘑	高等		1559	难	一级		1598	女	一级
1521	魔	高等		1560	囊	高等		1599	暖	三级
1522	抹	高等		1561	挠	高等		1600	虐	高等
1523	末	二级		1562	恼	高等		1601	挪	高等
1524	沫	高等		1563	脑	一级		1602	诺	六级
1525	陌	高等		1564	闹	四级		1603	哦	高等
1526	莫	高等		1565	呢	一级		1604	欧	高等
1527	漠	五级		1566	馁	高等		1605	殴	高等
1528	寞	高等		1567	内	三级		1606	呕	高等
1529	墨	六级		1568	嫩	高等		1607	偶	五级
1530	默	四级		1569	能	一级		1608	趴	高等
1531	谋	六级		1570	尼	高等		1609	爬	二级
1532	某	三级		1571	泥	六级		1610	帕	高等
1533	母	三级		1572	拟	高等		1611	怕	二级
1534	牡	高等		1573	你	一级		1612	拍	三级
1535	亩	高等		1574	逆	高等		1613	排	二级
1536	姆	高等		1575	匿	高等		1614	徘	高等
1537	木	三级		1576	腻	高等		1615	牌	三级
1538	目	二级		1577	年	一级		1616	派	三级
1539	沐	高等		1578	黏	高等		1617	潘	高等
1540	牧	高等		1579	念	三级		1618	攀	高等
1541	募	高等		1580	娘	三级		1619	盘	四级
1542	墓	六级		1581	酿	高等		1620	判	三级
1543	幕	五级		1582	鸟	二级		1621	盼	六级
1544	睦	高等		1583	尿	高等		1622	叛	高等
1545	慕	高等		1584	捏	高等		1623	畔	高等
1546	暮	高等		1585	您	一级		1624	乓	高等
1547	穆	高等		1586	宁	四级		1625	庞	高等
1549	拿	一级		1587	拧	高等		1626	旁	一级
1549	哪	一级		1588	凝	高等		1627	胖	三级
1550	那	一级		1589	牛	一级		1628	抛	高等

1629	刨	高等	1668	骗	五级	1707	妻	四级
1630	袍	高等	1669	飘	高等	1708	栖	高等
1631	跑	一级	1670	票	一级	1709	凄	高等
1632	泡	六级	1671	漂	二级	1710	戚	高等
1633	炮	六级	1672	撇	高等	1711	期	一级
1634	胚	高等	1673	拼	五级	1712	欺	六级
1635	陪	五级	1674	贫	六级	1713	漆	高等
1636	培	四级	1675	频	五级	1714	齐	三级
1637	赔	五级	1676	品	三级	1715	其	二级
1638	沛	高等	1677	聘	六级	1716	奇	三级
1639	佩	高等	1678	乒	高等	1717	歧	高等
1640	配	三级	1679	平	二级	1718	祈	高等
1641	喷	五级	1680	评	三级	1719	骑	二级
1642	盆	五级	1681	坪	高等	1720	棋	高等
1643	抨	高等	1682	苹	三级	1721	旗	六级
1644	烹	高等	1683	凭	五级	1722	乞	高等
1645	朋	一级	1684	屏	六级	1723	岂	高等
1646	棚	高等	1685	瓶	二级	1724	企	四级
1647	蓬	高等	1686	萍	高等	1725	启	五级
1648	鹏	高等	1687	坡	六级	1726	起	一级
1649	篷	高等	1688	泼	五级	1727	气	一级
1650	膨	高等	1689	颇	高等	1728	迄	高等
1651	捧	高等	1690	婆	四级	1729	弃	五级
1652	碰	二级	1691	迫	四级	1730	汽	一级
1653	批	三级	1692	破	三级	1731	泣	高等
1654	披	五级	1693	魄	高等	1732	契	高等
1655	劈	高等	1694	剖	高等	1733	砌	高等
1656	皮	三级	1695	扑	六级	1734	器	三级
1657	疲	高等	1696	铺	六级	1735	掐	高等
1658	啤	三级	1697	仆	高等	1736	洽	高等
1659	脾	五级	1698	菩	高等	1737	恰	六级
1660	匹	五级	1699	葡	五级	1738	千	二级
1661	辟	高等	1700	朴	高等	1739	迁	六级
1662	媲	高等	1701	浦	高等	1740	牵	六级
1663	僻	高等	1702	普	二级	1741	铅	六级
1664	譬	高等	1703	谱	高等	1742	谦	六级
1665	偏	六级	1704	瀑	高等	1743	签	五级
1666	篇	二级	1705	七	一级	1744	前	一级
1667	片	二级	1706	沏	高等	1745	虔	高等

1746	钱	一级		1785	青	二级		1824	裙	三级
1747	钳	高等		1786	轻	二级		1825	群	三级
1748	潜	六级		1787	倾	六级		1826	然	二级
1749	浅	四级		1788	清	二级		1827	燃	四级
1750	遣	高等		1789	情	二级		1828	染	五级
1751	谴	高等		1790	晴	二级		1829	壤	高等
1752	欠	五级		1791	擎	高等		1830	攘	高等
1753	嵌	高等		1792	顷	高等		1831	嚷	高等
1754	歉	六级		1793	请	一级		1832	让	二级
1755	呛	高等		1794	庆	三级		1833	饶	高等
1756	枪	五级		1795	穷	四级		1834	扰	五级
1757	腔	高等		1796	丘	高等		1835	绕	五级
1758	强	三级		1797	秋	二级		1836	惹	高等
1759	墙	二级		1798	囚	高等		1837	热	一级
1760	抢	五级		1799	求	二级		1838	人	一级
1761	悄	五级		1800	球	一级		1839	仁	高等
1762	敲	五级		1801	区	三级		1840	忍	五级
1763	乔	高等		1802	驱	高等		1841	认	一级
1764	侨	高等		1803	屈	高等		1842	任	三级
1765	桥	三级		1804	躯	高等		1843	韧	高等
1766	瞧	五级		1805	趋	四级		1844	扔	五级
1767	巧	三级		1806	渠	六级		1845	仍	三级
1768	俏	高等		1807	曲	五级		1846	日	一级
1769	窍	高等		1808	取	二级		1847	荣	五级
1770	翘	高等		1809	娶	高等		1848	绒	五级
1771	撬	高等		1810	去	一级		1849	容	三级
1772	茄	六级		1811	趣	四级		1850	溶	高等
1773	且	二级		1812	圈	四级		1851	融	六级
1774	切	三级		1813	权	四级		1852	冗	高等
1775	怯	高等		1814	全	二级		1853	柔	高等
1776	窃	高等		1815	泉	四级		1854	揉	高等
1777	钦	高等		1816	拳	高等		1855	肉	一级
1778	侵	六级		1817	犬	高等		1856	如	二级
1779	亲	三级		1818	劝	五级		1857	儒	高等
1780	秦	高等		1819	券	六级		1858	乳	六级
1781	琴	五级		1820	缺	三级		1859	辱	高等
1782	禽	高等		1821	却	四级		1860	入	二级
1783	勤	五级		1822	雀	高等		1861	软	五级
1784	寝	高等		1823	确	二级		1862	锐	高等

1863	瑞	高等		1902	膳	高等		1941	声	二级
1864	润	五级		1903	赡	高等		1942	牲	六级
1865	若	六级		1904	伤	三级		1943	绳	高等
1866	弱	四级		1905	商	一级		1944	省	二级
1867	撒	高等		1906	赏	四级		1945	圣	六级
1868	洒	五级		1907	上	一级		1946	胜	三级
1869	萨	高等		1908	尚	四级		1947	盛	六级
1870	塞	六级		1909	捎	高等		1948	剩	五级
1871	赛	三级		1910	烧	四级		1949	尸	高等
1872	三	一级		1911	梢	高等		1950	失	三级
1873	伞	四级		1912	稍	五级		1951	师	一级
1874	散	三级		1913	勺	六级		1952	诗	四级
1875	桑	高等		1914	少	一级		1953	狮	高等
1876	嗓	高等		1915	绍	一级		1954	施	四级
1877	丧	六级		1916	哨	高等		1955	湿	四级
1878	骚	高等		1917	奢	高等		1956	十	一级
1879	扫	四级		1918	舌	六级		1957	石	三级
1880	嫂	高等		1919	蛇	五级		1958	时	一级
1881	臊	高等		1920	舍	五级		1959	识	一级
1882	色	二级		1921	设	三级		1960	实	二级
1883	森	四级		1922	社	三级		1961	拾	五级
1884	僧	高等		1923	射	五级		1962	食	二级
1885	杀	五级		1924	涉	六级		1963	蚀	高等
1886	沙	三级		1925	摄	五级		1964	史	四级
1887	纱	高等		1926	慑	高等		1965	矢	高等
1888	砂	高等		1927	申	四级		1966	使	二级
1889	鲨	高等		1928	伸	五级		1967	始	三级
1890	傻	五级		1929	身	一级		1968	驶	五级
1891	厦	高等		1930	绅	高等		1969	士	四级
1892	筛	高等		1931	深	三级		1970	氏	高等
1893	晒	四级		1932	什	一级		1971	示	二级
1894	山	一级		1933	神	三级		1972	世	三级
1895	删	高等		1934	审	六级		1973	市	二级
1896	衫	三级		1935	肾	高等		1974	式	三级
1897	扇	五级		1936	甚	四级		1975	势	三级
1898	煽	高等		1937	渗	高等		1976	事	一级
1899	闪	四级		1938	慎	高等		1977	侍	高等
1900	善	三级		1939	升	三级		1978	饰	五级
1901	擅	高等		1940	生	一级		1979	试	一级

1980	视	一级	2019	曙	高等	2058	伺	高等
1981	柿	五级	2020	术	三级	2059	祀	高等
1982	是	一级	2021	束	三级	2060	饲	高等
1983	适	二级	2022	述	四级	2061	肆	高等
1984	室	二级	2023	树	一级	2062	松	四级
1985	逝	高等	2024	竖	高等	2063	耸	高等
1986	释	四级	2025	恕	高等	2064	讼	高等
1987	嗜	高等	2026	墅	高等	2065	宋	高等
1988	誓	高等	2027	刷	四级	2066	送	一级
1989	匙	高等	2028	耍	高等	2067	诵	高等
1990	收	二级	2029	衰	高等	2068	颂	高等
1991	手	一级	2030	摔	五级	2069	搜	五级
1992	守	四级	2031	甩	高等	2070	艘	高等
1993	首	三级	2032	帅	四级	2071	嗽	高等
1994	寿	五级	2033	拴	高等	2072	苏	六级
1995	受	二级	2034	栓	高等	2073	酥	高等
1996	授	四级	2035	涮	高等	2074	俗	四级
1997	售	四级	2036	双	三级	2075	诉	一级
1998	兽	高等	2037	霜	高等	2076	肃	五级
1999	瘦	五级	2038	爽	六级	2077	素	六级
2000	书	一级	2039	谁	一级	2078	速	三级
2001	抒	高等	2040	水	一级	2079	宿	五级
2002	枢	高等	2041	税	六级	2080	塑	四级
2003	叔	四级	2042	睡	一级	2081	溯	高等
2004	殊	四级	2043	顺	二级	2082	酸	四级
2005	梳	高等	2044	瞬	高等	2083	蒜	高等
2006	舒	二级	2045	说	一级	2084	算	二级
2007	疏	高等	2046	烁	高等	2085	虽	二级
2008	输	三级	2047	硕	五级	2086	随	二级
2009	蔬	五级	2048	司	二级	2087	髓	高等
2010	赎	高等	2049	丝	高等	2088	岁	一级
2011	熟	二级	2050	私	五级	2089	遂	高等
2012	暑	四级	2051	思	二级	2090	碎	五级
2013	属	三级	2052	斯	高等	2091	隧	高等
2014	署	高等	2053	撕	高等	2092	孙	四级
2015	蜀	高等	2054	死	三级	2093	损	五级
2013	鼠	五级	2055	四	一级	2094	唆	高等
2017	数	二级	2056	寺	六级	2095	缩	四级
2018	薯	六级	2057	似	三级	2096	所	二级

2097	索	五级	2136	趟	六级	2175	听	一级
2098	锁	五级	2137	涛	高等	2176	廷	高等
2099	他	一级	2138	掏	六级	2177	亭	高等
2100	它	二级	2139	滔	高等	2178	庭	二级
2101	她	一级	2140	逃	五级	2179	停	二级
2102	塌	高等	2141	桃	五级	2180	挺	二级
2103	塔	六级	2142	陶	高等	2181	艇	高等
2104	踏	六级	2143	萄	五级	2182	通	二级
2105	胎	高等	2144	淘	高等	2183	同	一级
2106	台	三级	2145	讨	二级	2184	铜	六级
2107	抬	五级	2146	套	二级	2185	童	四级
2108	太	一级	2147	特	二级	2186	统	四级
2109	汰	高等	2148	疼	二级	2187	捅	高等
2110	态	二级	2149	腾	高等	2188	桶	高等
2111	泰	高等	2150	藤	高等	2189	筒	高等
2112	贪	高等	2151	剔	高等	2190	痛	三级
2113	摊	高等	2152	梯	四级	2191	偷	五级
2114	滩	高等	2153	踢	六级	2192	头	二级
2115	瘫	高等	2154	提	二级	2193	投	四级
2116	坛	高等	2155	题	二级	2194	透	四级
2117	谈	三级	2156	体	一级	2195	凸	高等
2118	痰	高等	2157	屉	高等	2196	秃	高等
2119	潭	高等	2158	剃	高等	2197	突	三级
2120	坦	五级	2159	涕	高等	2198	图	一级
2121	毯	高等	2160	惕	高等	2199	徒	六级
2122	叹	六级	2161	替	四级	2200	途	四级
2123	炭	高等	2162	天	一级	2201	涂	高等
2124	探	六级	2163	添	六级	2202	屠	高等
2125	碳	高等	2164	田	六级	2203	土	三级
2126	汤	三级	2165	甜	三级	2204	吐	五级
2127	唐	高等	2166	填	四级	2205	兔	五级
2128	堂	二级	2167	舔	高等	2206	团	三级
2129	塘	高等	2168	挑	四级	2207	推	二级
2130	膛	高等	2169	条	一级	2208	颓	高等
2131	糖	三级	2170	跳	三级	2209	腿	二级
2132	倘	高等	2171	贴	四级	2210	退	三级
2133	淌	高等	2172	帖	高等	2211	吞	六级
2134	躺	四级	2173	铁	二级	2212	屯	高等
2135	烫	高等	2174	厅	五级	2213	托	五级

2214	拖	六级	2253	微	四级	2292	乌	六级
2215	脱	四级	2254	违	五级	2293	污	五级
2216	驮	高等	2255	围	三级	2294	巫	高等
2217	妥	高等	2256	唯	五级	2295	呜	高等
2218	拓	高等	2257	维	四级	2296	屋	三级
2219	唾	高等	2258	伟	三级	2297	无	四级
2220	挖	六级	2259	伪	高等	2298	吴	高等
2221	蛙	高等	2260	尾	四级	2299	五	一级
2222	娃	六级	2261	纬	高等	2300	午	一级
2223	瓦	高等	2262	委	五级	2301	伍	六级
2224	袜	四级	2263	萎	高等	2302	武	三级
2225	哇	六级	2264	卫	三级	2303	侮	高等
2226	歪	高等	2265	为	二级	2304	捂	高等
2227	外	一级	2266	未	四级	2305	舞	三级
2228	弯	四级	2267	位	二级	2306	勿	高等
2229	湾	六级	2268	味	二级	2307	务	二级
2230	丸	高等	2269	畏	高等	2308	物	二级
2231	完	二级	2270	胃	五级	2309	误	三级
2232	玩	一级	2271	谓	四级	2310	悟	六级
2233	顽	六级	2272	喂	二级	2311	晤	高等
2234	挽	高等	2273	慰	五级	2312	雾	高等
2235	晚	一级	2274	魏	高等	2313	夕	五级
2236	惋	高等	2275	温	二级	2314	西	一级
2237	婉	高等	2276	瘟	高等	2315	吸	四级
2238	碗	二级	2277	文	一级	2316	希	三级
2239	万	二级	2278	纹	高等	2317	昔	高等
2240	腕	高等	2279	闻	二级	2318	析	五级
2241	汪	高等	2280	蚊	高等	2319	牺	六级
2242	亡	六级	2281	吻	高等	2320	息	一级
2243	王	二级	2282	紊	高等	2321	悉	五级
2244	网	一级	2283	稳	四级	2322	惜	五级
2245	枉	高等	2284	问	一级	2323	晰	高等
2246	往	二级	2285	翁	高等	2324	稀	高等
2247	妄	高等	2286	涡	高等	2325	锡	高等
2248	忘	一级	2287	窝	高等	2326	溪	高等
2249	旺	六级	2288	我	一级	2327	熙	高等
2250	望	三级	2289	沃	高等	2328	熄	高等
2251	危	三级	2290	卧	五级	2329	膝	高等
2252	威	六级	2291	握	三级	2330	嬉	高等

2331	习	一级		2370	馅	高等		2409	协	五级
2332	席	四级		2371	羡	高等		2410	邪	高等
2333	袭	高等		2372	献	五级		2411	胁	六级
2334	媳	高等		2373	腺	高等		2412	挟	高等
2335	洗	一级		2374	乡	三级		2413	斜	五级
2336	喜	一级		2375	相	二级		2414	谐	六级
2337	戏	三级		2376	香	三级		2415	携	高等
2338	系	一级		2377	厢	高等		2416	鞋	二级
2339	细	四级		2378	箱	三级		2417	写	一级
2340	隙	高等		2379	镶	高等		2418	血	三级
2341	虾	高等		2380	详	五级		2419	泄	高等
2342	瞎	高等		2381	祥	六级		2420	泻	高等
2343	侠	高等		2382	翔	高等		2421	卸	高等
2344	峡	高等		2383	享	五级		2422	屑	高等
2345	狭	高等		2384	响	二级		2423	械	六级
2346	辖	高等		2385	想	一级		2424	谢	一级
2347	霞	高等		2386	向	二级		2425	懈	高等
2348	下	一级		2387	项	四级		2426	心	二级
2349	吓	五级		2388	巷	高等		2427	芯	高等
2350	夏	二级		2389	象	三级		2428	辛	五级
2351	仙	高等		2390	像	二级		2429	欣	五级
2352	先	一级		2391	橡	高等		2430	新	一级
2353	纤	高等		2392	削	高等		2431	薪	六级
2354	掀	高等		2393	消	三级		2432	馨	高等
2355	鲜	四级		2394	宵	高等		2433	信	二级
2356	闲	五级		2395	萧	高等		2434	衅	高等
2357	贤	高等		2396	销	四级		2435	星	一级
2358	弦	高等		2397	潇	高等		2436	猩	高等
2359	咸	四级		2398	溴	高等		2437	腥	高等
2360	衔	高等		2399	小	一级		2438	刑	高等
2361	嫌	六级		2400	晓	六级		2439	行	一级
2362	显	三级		2401	孝	高等		2440	形	三级
2363	险	三级		2402	肖	高等		2441	型	四级
2364	县	四级		2403	校	一级		2442	醒	四级
2365	现	一级		2404	笑	一级		2443	兴	一级
2366	限	四级		2405	效	三级		2444	幸	三级
2367	线	三级		2406	啸	高等		2445	性	三级
2368	宪	高等		2407	些	一级		2446	姓	二级
2369	陷	六级		2408	歇	五级		2447	凶	六级

2448	兄	四级		2487	学	一级		2526	盐	四级
2449	汹	高等		2488	雪	二级		2527	阎	高等
2450	胸	四级		2489	勋	高等		2528	颜	二级
2451	雄	五级		2490	熏	高等		2529	衍	高等
2452	熊	五级		2491	旬	高等		2530	掩	高等
2453	休	一级		2492	寻	四级		2531	眼	二级
2454	修	三级		2493	巡	高等		2532	演	三级
2455	羞	高等		2494	询	五级		2533	厌	五级
2456	朽	高等		2495	循	六级		2534	艳	五级
2457	秀	四级		2496	训	三级		2535	宴	六级
2458	袖	六级		2497	讯	六级		2536	验	三级
2459	绣	高等		2498	汛	高等		2537	雁	高等
2460	锈	高等		2499	迅	四级		2538	焰	高等
2461	嗅	高等		2500	驯	高等		2539	燕	高等
2462	须	二级		2501	逊	高等		2540	央	五级
2463	虚	五级		2502	丫	高等		2541	殃	高等
2464	墟	高等		2503	压	三级		2542	秧	高等
2465	需	三级		2504	押	五级		2543	扬	四级
2466	徐	高等		2505	鸦	高等		2544	羊	三级
2467	许	二级		2506	鸭	五级		2545	阳	二级
2468	旭	高等		2507	牙	四级		2546	杨	高等
2469	序	四级		2508	芽	高等		2547	洋	六级
2470	叙	高等		2509	崖	高等		2548	仰	六级
2471	恤	高等		2510	涯	高等		2549	养	二级
2472	酗	高等		2511	哑	高等		2550	氧	六级
2473	绪	六级		2512	雅	高等		2551	痒	高等
2474	续	三级		2513	亚	四级		2552	样	一级
2475	絮	高等		2514	讶	高等		2553	漾	高等
2476	婿	高等		2515	呀	四级		2554	妖	高等
2477	蓄	高等		2516	咽	高等		2555	腰	四级
2478	宣	三级		2517	烟	三级		2556	邀	五级
2479	喧	高等		2518	淹	高等		2557	窑	高等
2480	玄	高等		2519	延	四级		2558	谣	高等
2481	悬	六级		2520	严	四级		2559	摇	四级
2482	旋	六级		2521	言	二级		2560	遥	高等
2483	选	二级		2522	岩	高等		2561	咬	五级
2484	炫	高等		2523	炎	六级		2562	药	二级
2485	靴	高等		2524	沿	六级		2563	要	一级
2486	穴	高等		2525	研	四级		2564	钥	高等

2565	耀	六级		2604	役	高等		2643	映	四级
2566	椰	高等		2605	译	四级		2644	硬	五级
2567	爷	一级		2606	易	三级		2645	佣	高等
2568	也	一级		2607	绎	高等		2646	拥	五级
2569	冶	高等		2608	弈	高等		2647	庸	高等
2570	野	六级		2609	疫	高等		2648	永	二级
2571	业	二级		2610	益	四级		2649	咏	高等
2572	叶	四级		2611	谊	五级		2650	泳	三级
2573	页	一级		2612	逸	高等		2651	勇	四级
2574	夜	二级		2613	裔	高等		2652	涌	高等
2575	液	六级		2614	意	二级		2653	踊	高等
2576	一	一级		2615	溢	高等		2654	用	一级
2577	伊	高等		2616	毅	高等		2655	优	三级
2578	衣	一级		2617	翼	高等		2656	忧	六级
2579	医	一级		2618	因	二级		2657	幽	五级
2580	依	四级		2619	阴	二级		2658	悠	高等
2581	仪	六级		2620	荫	高等		2659	尤	五级
2582	夷	高等		2621	音	二级		2660	由	二级
2583	怡	高等		2622	姻	高等		2661	邮	三级
2584	宜	二级		2623	殷	高等		2662	犹	五级
2585	姨	四级		2624	银	二级		2663	油	二级
2586	移	四级		2625	引	四级		2664	游	二级
2587	遗	四级		2626	饮	五级		2665	友	一级
2588	疑	四级		2627	隐	六级		2666	有	一级
2589	乙	五级		2628	瘾	高等		2667	又	二级
2590	已	二级		2629	印	二级		2668	右	一级
2591	以	二级		2630	应	二级		2669	幼	四级
2592	矣	高等		2631	英	二级		2670	佑	高等
2593	倚	高等		2632	婴	高等		2671	诱	高等
2594	椅	二级		2633	鹰	高等		2672	于	二级
2595	亿	二级		2634	迎	二级		2673	余	四级
2596	义	三级		2635	荧	高等		2674	鱼	二级
2597	艺	三级		2636	盈	高等		2675	娱	六级
2598	忆	五级		2637	莹	高等		2676	渔	高等
2599	议	三级		2638	营	三级		2677	逾	高等
2600	屹	高等		2639	蝇	高等		2678	渝	高等
2601	亦	高等		2640	赢	三级		2679	愉	六级
2602	异	六级		2641	颖	高等		2680	愚	高等
2603	抑	高等		2642	影	一级		2681	舆	高等

2682	与	四级		2721	愿	二级		2760	早	一级
2683	予	六级		2722	曰	高等		2761	枣	高等
2684	屿	高等		2723	约	三级		2762	澡	二级
2685	宇	六级		2724	月	一级		2763	藻	高等
2686	羽	五级		2725	岳	高等		2764	皂	高等
2687	雨	一级		2726	阅	四级		2765	灶	高等
2688	语	一级		2727	悦	高等		2766	造	三级
2689	玉	四级		2728	跃	六级		2767	噪	高等
2690	驭	高等		2729	越	二级		2768	燥	高等
2691	吁	高等		2730	粤	高等		2769	躁	高等
2692	郁	高等		2731	晕	六级		2770	则	四级
2693	育	二级		2732	云	二级		2771	责	三级
2694	狱	高等		2733	匀	高等		2772	择	四级
2695	浴	高等		2734	允	六级		2773	泽	高等
2696	预	三级		2735	陨	高等		2774	贼	高等
2697	域	五级		2736	孕	高等		2775	怎	一级
2698	欲	六级		2737	运	二级		2776	增	三级
2699	遇	四级		2738	酝	高等		2777	赠	五级
2700	喻	高等		2739	韵	高等		2778	扎	六级
2701	御	高等		2740	蕴	高等		2779	渣	高等
2702	寓	高等		2741	杂	三级		2780	闸	高等
2703	裕	高等		2742	砸	高等		2781	眨	高等
2704	愈	高等		2743	灾	五级		2782	诈	高等
2705	誉	六级		2744	栽	高等		2783	炸	六级
2706	豫	五级		2745	仔	五级		2784	榨	高等
2707	冤	高等		2746	载	四级		2785	摘	五级
2708	渊	高等		2747	宰	高等		2786	宅	六级
2709	元	一级		2748	再	一级		2787	窄	高等
2710	园	二级		2749	在	一级		2788	债	六级
2711	员	三级		2750	咱	二级		2789	寨	高等
2712	袁	高等		2751	攒	高等		2790	沾	高等
2713	原	二级		2752	暂	五级		2791	粘	高等
2714	圆	四级		2753	赞	四级		2792	瞻	高等
2715	援	六级		2754	赃	高等		2793	斩	高等
2716	缘	六级		2755	脏	二级		2794	盏	高等
2717	源	四级		2756	葬	高等		2795	展	三级
2718	远	一级		2757	遭	六级		2796	崭	高等
2719	怨	五级		2758	糟	五级		2797	占	二级
2720	院	一级		2759	凿	高等		2798	战	四级

2799	站	一级	2838	阵	四级	2877	志	三级
2800	绽	高等	2839	振	五级	2878	帜	高等
2801	蘸	高等	2840	震	五级	2879	制	三级
2802	张	三级	2841	镇	六级	2880	质	四级
2803	章	三级	2842	争	三级	2881	治	四级
2804	彰	高等	2843	征	四级	2882	峙	高等
2805	涨	五级	2844	睁	高等	2883	挚	高等
2806	掌	五级	2845	筝	高等	2884	致	四级
2807	丈	四级	2846	蒸	高等	2885	秩	高等
2808	仗	高等	2847	拯	高等	2886	窒	高等
2809	杖	高等	2848	整	三级	2887	智	四级
2810	帐	高等	2849	正	一级	2888	滞	高等
2811	账	六级	2850	证	三级	2889	置	四级
2812	胀	高等	2851	郑	高等	2890	稚	高等
2813	障	六级	2852	政	四级	2891	中	一级
2814	招	四级	2853	挣	五级	2892	忠	六级
2815	找	一级	2854	症	六级	2893	终	三级
2816	沼	高等	2855	之	四级	2894	钟	二级
2817	召	四级	2856	支	三级	2895	衷	高等
2818	兆	高等	2857	汁	三级	2896	肿	六级
2819	赵	高等	2858	芝	高等	2897	种	三级
2820	照	二级	2859	枝	六级	2898	仲	高等
2821	罩	高等	2860	知	一级	2899	众	三级
2822	肇	高等	2861	肢	高等	2900	重	一级
2823	遮	高等	2862	织	五级	2901	舟	高等
2824	折	四级	2863	脂	高等	2902	州	高等
2825	哲	六级	2864	执	五级	2903	周	二级
2826	辙	高等	2865	直	二级	2904	洲	高等
2827	者	二级	2866	值	三级	2905	粥	六级
2828	这	一级	2867	职	三级	2906	轴	高等
2829	浙	高等	2868	植	四级	2907	宙	高等
2830	着	一级	2869	殖	六级	2908	昼	高等
2831	贞	高等	2870	止	三级	2909	皱	高等
2832	针	四级	2871	只	二级	2910	骤	高等
2833	侦	高等	2872	旨	高等	2911	朱	高等
2834	珍	五级	2873	址	四级	2912	珠	五级
2835	真	一级	2874	纸	二级	2913	株	高等
2836	诊	五级	2875	指	三级	2914	诸	六级
2837	枕	高等	2876	至	三级	2915	猪	三级

2916	竹	五级	2945	装	二级	2974	总	三级
2917	逐	四级	2946	壮	六级	2975	纵	六级
2918	烛	高等	2947	状	三级	2976	粽	高等
2919	主	二级	2948	撞	五级	2977	走	一级
2920	拄	高等	2949	幢	高等	2978	奏	六级
2921	煮	六级	2950	追	三级	2979	揍	高等
2922	嘱	高等	2951	坠	高等	2980	租	二级
2923	瞩	高等	2952	缀	高等	2981	足	三级
2924	助	二级	2953	准	一级	2982	卒	高等
2925	住	一级	2954	拙	高等	2983	族	三级
2926	贮	高等	2955	捉	六级	2984	阻	四级
2927	注	三级	2956	桌	一级	2985	组	二级
2928	驻	六级	2957	灼	高等	2986	祖	六级
2929	柱	六级	2958	卓	高等	2987	钻	六级
2930	祝	三级	2959	浊	高等	2988	嘴	二级
2931	著	四级	2960	酌	高等	2989	最	一级
2932	铸	高等	2961	琢	高等	2990	罪	六级
2933	筑	五级	2962	咨	六级	2991	醉	五级
2934	抓	三级	2963	姿	高等	2992	尊	五级
2935	爪	高等	2964	兹	高等	2993	遵	五级
2936	拽	高等	2965	资	三级	2994	昨	一级
2937	专	三级	2966	滋	高等	2995	左	一级
2938	砖	高等	2967	子	一级	2996	佐	高等
2939	转	三级	2968	紫	五级	2997	作	一级
2940	赚	六级	2969	自	二级	2998	坐	一级
2941	撰	高等	2970	字	一级	2999	座	二级
2942	妆	高等	2971	宗	六级	3000	做	一级
2943	庄	六级	2972	综	四级			
2944	桩	高等	2973	踪	高等			

按音序排列的分级同音字表

说明：
1. "/"表示分级符号，格式为"一级字/二级字/三级字/四级字/五级字/六级字/高等字"，如果某一级中没有对应的字，则用"#"表示。
2. "※"表示地名和姓氏用字，共29个。

序号	音节	汉字
1	ā	# / # / # / #/啊（另见 a）、阿 / # / # / #
2	a	# /啊（另见 ā）/ # / # / # / # / #
3	āi	# / # / # / # / # /挨（另见 ái）/哎、哀
4	ái	# / # / # / # / # /挨（另见 āi）/癌
5	ǎi	# / # / # /矮 / # / # /蔼
6	ài	爱 / # / # / # /碍 / # /艾、唉、隘
7	ān	# /安 / # / # / # / # / #
8	àn	# / # /按/案、暗/岸 / # / #
9	áng	# / # / # / # / # / # /昂
10	āo	# / # / # / # / # / # /凹
11	áo	# / # / # / # / # / # /熬
12	ào	# / # / # / # / # /傲/奥、澳※
13	bā	八 / # / # /巴、吧（另见 ba）/ # / # /扒、叭、芭
14	bá	# / # / # / # /拔 / # / #
15	bǎ	# / # /把 / # / # / # /靶
16	bà	爸 / # / # / # /罢/坝、霸
17	ba	吧（另见 bā）/ # / # / # / # / # / #
18	bāi	# / # / # / # / # / # /掰
19	bái	白 / # / # / # / # / # / #
20	bǎi	百 / # / # /摆 / # / # /柏
21	bài	# / # / # / # /败/拜 / # / #
22	bān	班 /般、搬 / # / # / # /扳、颁、斑
23	bǎn	# /板 / # / # /版 / # / #
24	bàn	半 /办 / # /伴/扮 / # /拌、瓣
25	bāng	帮 / # / # / # / # / # /邦
26	bǎng	# / # / # / # / # /榜、绑 /膀
27	bàng	# / # / # / # /棒/傍/谤、磅、镑
28	bāo	包 / # / # / # / # /胞、煲/剥（另见 bō）
29	báo	# / # / # /薄（另见 bó）/ # / # / #
30	bǎo	# /饱 /保 /宝 / # / # /堡
31	bào	# /报 / # /抱/ # /暴、爆/豹、曝
32	bēi	杯 / # /背（另见 bèi）/ # /悲/ # /卑、碑
33	běi	北 / # / # / # / # / # / #
34	bèi	备 /背（另见 bēi）/被/贝、倍 /辈 / # /狈、惫
35	bēn	# / # / # / # / # /奔（另见 bèn）/ #
36	běn	本 / # / # / # / # / # / #
37	bèn	# / # / # /笨 / # / # /奔（另见 bēn）
38	bēng	# / # / # / # / # / # /崩、绷
39	bèng	# / # / # / # / # / # /蹦
40	bī	# / # / # / # / # / # /逼
41	bí	# / # / # /鼻 / # / # / #
42	bǐ	比 /笔 / # / # /彼 / # /鄙
43	bì	# /必 /币 /毕、闭 /避 /壁 / # /毙、痹、碧、蔽、弊、臂
44	biān	边 / # / # /编 / # / # /鞭
45	biǎn	# / # / # / # / # / # /扁、贬

按音序排列的分级同音字表

46	biàn	#/变、便(另见pián)、遍/#/辩/#/#/辨、辫
47	biāo	#/#/标/#/#/#/飙
48	biǎo	#/表/#/#/#/#/#
49	biē	#/#/#/#/#/#/憋
50	bié	别(另见biè)/#/#/#/#/#/#
51	biè	#/#/#/#/#/#/别(另见bié)
52	bīn	#/#/#/#/宾/#/彬、滨、缤
53	bīng	#/#/#/冰、兵/#/#/#
54	bǐng	#/#/#/饼/#/丙、秉、柄
55	bìng	病/#/并/#/#/#/#
56	bō	#/#/播/#/玻/拨、波/剥(另见bāo)
57	bó	#/#/#/#/博/#/伯、驳、泊、勃、舶、脖、搏、膊、薄(另见báo)
58	bo	#/#/#/#/#/#/卜(另见bǔ)
59	bǔ	#/#/补/#/#/捕/卜(另见bo)、哺
60	bù	不/部/布、步/#/#/#/怖
61	cā	#/#/#/擦/#/#/#
62	cāi	#/#/#/猜/#/#/#
63	cái	#/才/材/财/裁/#/#
64	cǎi	#/#/采、彩/#/#/踩/睬
65	cài	菜/#/#/#/#/#/#
66	cān	#/参、餐/#/#/#/#/#
67	cán	#/#/#/#/#/残/惭
68	cǎn	#/#/#/#/#/惨/#
69	càn	#/#/#/#/#/#/灿
70	cāng	#/#/#/#/#/仓/苍、沧、舱
71	cáng	#/#/#/#/#/藏(另见zàng)/#
72	cāo	#/#/#/操/#/#/糙
73	cáo	#/#/#/#/#/#/槽、曹※
74	cǎo	#/草/#/#/#/#/#
75	cè	#/#/#/测/册/厕、侧、策/#
76	céng	#/层/曾/#/#/#/#
77	cèng	#/#/#/#/#/#/蹭
78	chā	#/#/#/#/叉、差(另见chà、chāi)、插/#/#
79	chá	茶/查/察/#/#/#/#
80	chà	差(另见chā、chāi)/#/#/#/岔、刹(另见shā)、诧
81	chāi	#/#/#/#/拆、差(另见chā、chà)/#/#
82	chái	#/#/#/#/柴/#/#
83	chān	#/#/#/#/#/#/掺、搀
84	chán	#/#/#/#/#/馋、禅、缠
85	chǎn	#/#/产/#/#/#/铲、阐
86	chàn	#/#/#/#/#/#/颤
87	chāng	#/#/#/#/#/昌/猖
88	cháng	常、长(另见zhǎng)/#/#/肠、尝、偿/#/嫦
89	chǎng	场/#/厂/#/#/#/敞
90	chàng	唱/#/#/#/倡/畅/#
91	chāo	#/超/#/抄/#/#/钞
92	cháo	#/#/朝(另见zhāo)/潮/#/#/巢、嘲
93	chǎo	#/#/吵/#/#/炒/#
94	chē	车/#/#/#/#/#/#
95	chě	#/#/#/#/#/#/扯
96	chè	#/#/#/彻/#/撤/#
97	chén	#/晨/#/沉/#/#/臣、尘、辰、陈
98	chèn	#/#/衬/#/#/称(另见chēng)、趁
99	chēng	#/称(另见chèn)/#/#/#/撑/#
100	chéng	#/成/城、程/诚、承/乘/#/呈、盛(另见shèng)、惩、澄、橙
101	chěng	#/#/#/#/#/#/逞
102	chèng	#/#/#/#/#/#/秤
103	chī	吃/#/#/#/#/#/痴
104	chí	#/#/持/迟/池/#/弛、驰
105	chǐ	#/#/#/尺/#/齿、侈、耻
106	chì	#/#/#/#/#/#/斥、赤、翅

91

107	chōng	# / # / 充 / 冲（另见 chòng）/ # / # / #
108	chóng	# / 重（另见 zhòng）/ # / 虫 / # / 崇 / #
109	chǒng	# / # / # / # / # / 宠 / #
110	chòng	# / # / # / # / # / 冲（另见 chōng）/ #
111	chōu	# / # / # / 抽 / # / # / #
112	chóu	# / # / # / 愁 / # / 仇、绸、畴、酬、稠、筹
113	chǒu	# / # / # / # / 丑 / # / 瞅
114	chòu	# / # / # / 臭 / # / #
115	chū	出 / # / 初 / # / # / # / #
116	chú	# / # / 除 / # / 厨 / # / 橱
117	chǔ	# / 楚 / 础、处（另见 chù）/ # / # / 储 / #
118	chù	# / 处（另见 chǔ）/ # / # / 触 / # / 畜
119	chuāi	# / # / # / # / # / # / 揣（另见 chuǎi）
120	chuǎi	# / # / # / # / # / # / 揣（另见 chuāi）
121	chuài	# / # / # / # / # / # / 踹
122	chuān	穿 / # / # / # / # / # / 川
123	chuán	# / 船 / 传（另见 zhuàn）/ # / # / # / #
124	chuǎn	# / # / # / # / # / # / 喘
125	chuàn	# / # / # / # / # / 串 / #
126	chuāng	# / # / # / 窗 / # / # / 创（另见 chuàng）
127	chuáng	床 / # / # / # / # / # / #
128	chuǎng	# / # / # / # / # / 闯 / #
129	chuàng	# / # / 创（另见 chuāng）/ # / # / # / #
130	chuī	# / 吹 / # / # / # / # / 炊
131	chuí	# / # / # / # / # / 垂、捶、锤
132	chūn	# / 春 / # / # / # / # / #
133	chún	# / # / # / 纯 / # / 唇、醇
134	chǔn	# / # / # / # / # / # / 蠢
135	chuō	# / # / # / # / # / # / 戳
136	chuò	# / # / # / # / # / # / 绰
137	cí	# / 词 / # / # / 辞 / # / 瓷、慈、磁
138	cǐ	# / # / 此 / # / # / # / #
139	cì	次 / # / # / 刺 / # / # / 伺（另见 sì）、赐
140	cōng	# / # / # / # / 聪 / # / 匆、囱、葱
141	cóng	从 / # / # / # / # / # / 丛
142	còu	# / # / # / # / # / # / 凑
143	cū	# / # / # / 粗 / # / # / #
144	cù	# / # / # / 促 / # / 醋 / 簇
145	cuàn	# / # / # / # / # / # / 窜
146	cuī	# / # / # / # / # / # / 催、摧
147	cuì	# / # / # / # / 脆 / # / 粹、翠
148	cūn	# / # / # / 村 / # / # / #
149	cún	# / # / # / 存 / # / # / #
150	cùn	# / # / # / 寸 / # / # / #
151	cuō	# / # / # / # / # / # / 搓、磋
152	cuò	错 / # / # / 措 / # / # / 挫
153	dā	# / 答（另见 dá）/ # / # / # / 搭 / #
154	dá	答（另见 dā）/ # / 达 / 打（另见 dǎ）/ # / # / #
155	dǎ	打（另见 dá）/ # / # / # / # / # / #
156	dà	大（另见 dài）/ # / # / # / # / # / #
157	dāi	# / # / # / # / 呆、待（另见 dài）/ # / #
158	dǎi	# / # / # / # / # / # / 歹、逮（另见 dài）
159	dài	# / 带 / 大（另见 dà）、代、待（另见 dāi）/ 袋、戴、贷 / # / 怠、逮（另见 dǎi）
160	dān	# / 单 / # / 担 / # / # / 丹、耽
161	dǎn	# / # / # / # / 胆 / # / #
162	dàn	蛋 / 但 / # / 淡 / 旦、弹（另见 tán）/ 诞 / #

163	dāng	# / 当（另见 dàng）/ # / # / # / # / #
164	dǎng	# / # / # / # / 挡 / 党 / #
165	dàng	# / # / # / # / # / 当（另见 dāng）、档 / 荡
166	dāo	# / # / 刀 / # / # / # / 叨
167	dǎo	# / 倒（另见 dào）/ 导 / # / # / 岛、蹈 / 捣、祷
168	dào	到、道 / 倒（另见 dǎo）/ # / # / # / 盗 / 悼、稻
169	dé	得（另见 de、děi）/ # / # / # / 德 / # / #
170	de	地（另见 dì）、的（另见 dí、dì）/ 得（另见 dé、děi）/ # / # / # / # / #
171	děi	# / # / # / 得（另见 dé、de）/ # / # / #
172	dēng	# / 灯 / # / 登 / # / # / 蹬
173	děng	等 / # / # / # / # / # / #
174	dèng	# / # / # / # / # / # / 凳、瞪、邓※
175	dī	# / 低 / # / # / 滴 / 提（另见 tí）、堤
176	dí	# / # / # / 的（另见 de、dì）、敌 / # / # / 迪、涤、笛
177	dǐ	# / # / 底 / # / # / 抵 / #
178	dì	地（另见 de）、弟、第 / 的（另见 de、dí）/ # / 递 / # / 帝、蒂、缔
179	diān	# / # / # / # / # / 颠、巅
180	diǎn	点、典 / # / # / # / # / # / #
181	diàn	电、店 / # / # / # / # / # / 甸、垫、淀、惦、奠、殿
182	diāo	# / # / # / # / # / # / 刁、叼、雕
183	diào	# / 掉、调（另见 tiáo）/ # / # / 吊、钓
184	diē	# / # / # / # / # / 跌 / 爹
185	dié	# / # / # / # / # / 迭、谍、叠、碟
186	dīng	# / # / # / # / # / # / 丁、叮、盯、钉（另见 dìng）
187	dǐng	# / # / # / 顶 / # / # / 鼎
188	dìng	# / 定 / 订 / # / # / # / 钉（另见 dīng）
189	diū	# / # / # / # / 丢 / # / #
190	dōng	东 / 冬 / # / # / # / # / #
191	dǒng	# / 懂 / # / # / # / # / 董
192	dòng	动 / # / # / # / 冻、洞 / # / 栋
193	dōu	都（另见 dū）/ # / # / # / # / # / 兜
194	dǒu	# / # / # / # / # / # / 抖、陡
195	dòu	# / # / # / 斗、豆 / # / # / 逗
196	dū	# / # / 都（另见 dōu）/ # / # / 督 / #
197	dú	读 / # / # / 独、毒 / # / # / #
198	dǔ	# / # / # / 堵 / # / 赌、睹
199	dù	# / 度 / # / 肚 / # / 渡 / 杜、妒
200	duān	# / # / # / # / # / 端 / #
201	duǎn	# / 短 / # / # / # / # / #
202	duàn	# / 段 / 断 / 锻 / # / # / #
203	duī	# / # / # / # / 堆 / # / #
204	duì	对 / 队 / # / # / # / # / 兑
205	dūn	# / # / # / # / 吨 / 蹲 / 敦
206	dǔn	# / # / # / # / # / # / 盹
207	dùn	# / # / 顿 / # / 盾 / # / 炖
208	duō	多 / # / # / # / # / # / 哆
209	duó	# / # / # / # / # / 夺 / #
210	duǒ	# / # / # / # / 朵、躲 / # / #
211	duò	# / # / # / # / # / 舵、堕、惰
212	é	# / # / # / # / 额、讹、娥、鹅、俄
213	ě	# / # / # / 恶（另见 è、wù）/ # / # / #
214	è	饿 / # / # / # / # / # / 恶（另见 ě、wù）、厄、遏、鳄
215	ēn	# / # / # / # / # / 恩 / #
216	ér	儿 / 而 / # / # / # / # / #
217	ěr	# / # / # / 耳、尔 / # / 饵
218	èr	二 / # / # / # / # / # / #

#	音节	汉字	#	音节	汉字
219	fā	＃/发（另见fà）/＃/＃/＃/＃/＃	248	fù	＃/复/父、付、负、富/妇、附/傅/副/咐、赴、赋、腹、缚、覆
220	fá	＃/＃/＃/＃/乏、罚/＃/伐、阀	249	gà	＃/＃/＃/＃/＃/＃/尬
221	fǎ	＃/法/＃/＃/＃/＃/＃	250	gāi	＃/该/＃/＃/＃/＃/＃
222	fà	＃/发（另见fā）/＃/＃/＃/＃/＃	251	gǎi	＃/改/＃/＃/＃/＃/＃
			252	gài	＃/＃/概/盖/＃/＃/丐、钙、溉
223	fān	＃/＃/＃/翻/＃/番/帆	253	gān	干（另见gàn）/＃/＃/＃/＃/肝/甘、杆（另见gǎn）、竿、尴
224	fán	＃/＃/烦/＃/繁/凡/＃			
225	fǎn	＃/＃/反/＃/返/＃/＃	254	gǎn	＃/感/赶、敢/＃/＃/杆（另见gān）/＃
226	fàn	饭/＃/范/＃/泛/犯/贩			
227	fāng	方/＃/＃/＃/＃/＃/芳	255	gàn	干（另见gān）/＃/＃/＃/＃/＃/＃
228	fáng	房/＃/防/＃/＃/＃/妨、肪			
229	fǎng	＃/＃/访/＃/仿/＃/纺	256	gāng	＃/刚/＃/＃/纲、钢/＃/冈、缸
230	fàng	放/＃/＃/＃/＃/＃/＃	257	gǎng	＃/＃/＃/＃/＃/岗、港/＃
231	fēi	飞、非/＃/啡/＃/＃/＃/绯	258	gàng	＃/＃/＃/＃/＃/＃/杠
232	féi	＃/＃/＃/＃/肥/＃/＃	259	gāo	高/＃/＃/＃/糕/＃/膏
233	fěi	＃/＃/＃/＃/＃/＃/匪、诽	260	gǎo	＃/＃/＃/＃/搞/稿/＃
234	fèi	＃/＃/费/＃/＃/肺、废/沸	261	gào	告/＃/＃/＃/＃/＃/＃
235	fēn	分（另见fèn）/＃/＃/纷/＃/氛/芬、吩	262	gē	哥、歌/＃/＃/＃/＃/＃/戈、胳、鸽、搁、割
			263	gé	＃/＃/格/隔/革/＃/阁
236	fén	＃/＃/＃/＃/＃/＃/坟、焚	264	gè	个/＃/各/＃/＃/＃/＃
237	fěn	＃/＃/＃/＃/＃/粉/＃	265	gěi	给（另见jǐ）/＃/＃/＃/＃/＃/＃
238	fèn	＃/份/＃/分（另见fēn）、奋/＃/愤、粪			
			266	gēn	跟/＃/根/＃/＃/＃/＃
239	fēng	风/封/丰/＃/疯/峰、锋/蜂	267	gēng	＃/＃/＃/＃/更（另见gèng）/＃/耕
240	féng	＃/＃/＃/＃/＃/＃/逢、缝（另见fèng）、冯※			
			268	gěng	＃/＃/＃/＃/＃/＃/耿
241	fěng	＃/＃/＃/＃/＃/＃/讽	269	gèng	＃/更（另见gēng）/＃/＃/＃/＃/＃
242	fèng	＃/＃/＃/＃/＃/奉/凤、缝（另见féng）	270	gōng	工/公/功/供（另见gòng）/＃/攻、宫/弓、恭、躬
243	fó	＃/＃/＃/＃/＃/佛（另见fú）/＃			
244	fǒu	＃/＃/＃/否/＃/＃/＃	271	gǒng	＃/＃/＃/＃/＃/＃/巩、拱
245	fū	＃/＃/夫/＃/肤/＃/孵、敷	272	gòng	＃/共/＃/＃/＃/贡/供（另见gōng）
246	fú	服/＃/福/符/扶、幅/佛（另见fó）、浮/伏、俘、袱、辐			
			273	gōu	＃/＃/＃/＃/沟/＃/勾、钩
247	fǔ	＃/＃/府/腐/辅/＃/抚、斧、俯	274	gǒu	＃/狗/＃/＃/＃/＃/＃

275	gòu	#/够/#/构、购/#/#/#
276	gū	#/#/姑/#/估/孤/沽、菇、辜
277	gǔ	#/古/骨/鼓/谷、股/贾
278	gù	#/故、顾/#/固/#/#/雇
279	guā	#/#/#/瓜/#/刮/#
280	guǎ	#/#/#/#/#/#/寡
281	guà	#/#/挂/#/#/#/卦
282	guāi	#/#/#/#/#/#/乖
283	guǎi	#/#/#/#/#/拐/#
284	guài	#/#/怪/#/#/#/#
285	guān	关/观/#/官/#/#/棺
286	guǎn	馆/#/管/#/#/#/#
287	guàn	#/惯/#/#/冠/贯/灌、罐
288	guāng	#/#/光/#/#/#/#
289	guǎng	#/广/#/#/#/#/#
290	guàng	#/#/#/#/逛/#/#
291	guī	#/#/规/归/#/#/龟、闺、瑰
292	guǐ	#/#/#/#/鬼/轨/#
293	guì	贵/#/#/#/柜/跪/桂
294	gǔn	#/#/#/#/滚/#/#
295	gùn	#/#/#/#/#/#/棍
296	guō	#/#/#/#/锅/#/郭※
297	guó	国/#/#/#/#/#/#
298	guǒ	果/#/#/裹/#/#/#
299	guò	过(另见guo)/#/#/#/#/#/#
300	guo	#/过(另见guò)/#/#/#/#/#
301	hā	#/#/哈/#/#/#/#
302	hái	还(另见huán)、孩/#/#/#/#/#/#
303	hǎi	#/海/#/#/#/#/#
304	hài	#/#/害/#/#/#/骇
305	hān	#/#/#/#/#/#/酣
306	hán	#/#/#/含、寒/#/#/函、涵、韩※
307	hǎn	#/喊/#/#/#/#/罕
308	hàn	汉/#/#/#/汗/憾/旱、捍、焊、撼
309	háng	#/行(另见xíng)/#/航/#/#/杭※
310	háo	#/#/#/毫/豪/#/#
311	hǎo	好(另见hào)/#/#/#/#/#/#/#
312	hào	号、好(另见hǎo)/#/#/#/#/耗/浩
313	hē	喝(另见hè)/#/#/#/#/#/呵
314	hé	和(另见hè、huó)/合、河、何/#/核、盒/#/禾、阂、荷
315	hè	#/#/#/贺/#/吓(另见xià)、和(另见hé、huó)、喝(另见hē)、赫、鹤
316	hēi	#/黑/#/#/#/#/嘿
317	hén	#/#/#/#/#/#/痕
318	hěn	很/#/#/#/#/狠/#
319	hèn	#/#/#/恨/#/#
320	hēng	#/#/#/#/#/#/哼
321	héng	#/#/#/#/横(另见hèng)、衡/恒
322	hèng	#/#/#/#/#/#/横(另见héng)
323	hōng	#/#/#/#/#/#/轰、哄(另见hǒng、hòng)、烘
324	hóng	#/红/#/#/宏、洪、弘、虹
325	hǒng	#/#/#/#/#/#/哄(另见hōng、hòng)
326	hòng	#/#/#/#/#/#/哄(另见hōng、hǒng)
327	hóu	#/#/#/#/猴/#/喉
328	hǒu	#/#/#/#/#/#/吼
329	hòu	后、候/#/#/厚/#/#/#
330	hū	#/忽/#/乎、呼/#/#/#
331	hú	#/湖/#/胡、糊/壶/弧
332	hǔ	#/#/#/#/虎/#/唬
333	hù	#/护/互/户/#/#/沪※

334	huā	花/#/#/#/#/#/#	360	jǐ	几（另见jī)/己/#/#/挤/给（另见gěi)/脊
335	huá	#/#/划（另见huà)、华/#/滑/#/哗、猾	361	jì	记/计、际、绩/纪、技、济、继/系（另见xì)/季、既、寄/#/#/忌、剂、迹、祭、寂
336	huà	话/划（另见huá)、画/化/#/#/#/#			
337	huái	#/#/#/怀/#/#/徊、槐、淮※	362	jiā	家/加/#/#/夹/佳、嘉/#
338	huài	坏/#/#/#/#/#/#	363	jiá	#/#/#/#/#/#/颊
339	huān	欢/#/#/#/#/#/#	364	jiǎ	#/假（另见jià)/#/#/甲/#/#
340	huán	还（另见hái)/#/环/#/#/#/#	365	jià	假（另见jiǎ)/#/价、架/#/驾/#/嫁、稼
341	huǎn	#/#/#/缓/#/#/#			
342	huàn	#/换/#/#/#/幻、患、唤、焕、痪	366	jiān	间（另见jiàn)/#/坚/#/肩、艰/尖、监/奸、歼、兼、煎
343	huāng	#/#/#/#/慌/#/荒	367	jiǎn	#/检/简/减/剪/捡/拣、柬、俭
344	huáng	#/黄/#/#/#/皇、凰、煌	368	jiàn	见/件、健、建、渐/间（另见jiān)、键/剑、舰、践、鉴/箭、荐、贱、溅
345	huǎng	#/#/#/#/#/#/恍、晃（另见huàng)、谎			
346	huàng	#/#/#/#/#/#/晃（另见huǎng)	369	jiāng	#/#/将（另见jiàng)/江/#/#/姜、浆、僵、疆
347	huī	#/#/#/挥/灰、恢、辉/徽	370	jiǎng	#/讲/#/奖/#/#/桨
348	huí	回/#/#/#/#/#/#	371	jiàng	#/#/#/降（另见xiáng)/#/酱/匠、将（另见jiāng)、强（另见qiáng、qiǎng)
349	huǐ	#/#/#/#/悔、毁/#			
350	huì	会（另见kuài)/#/#/汇、惠/绘、慧/卉、讳、贿、秽	372	jiāo	教（另见jiào)/交、蕉/#/郊、胶/骄、焦、浇、娇、椒、跤、礁
351	hūn	#/#/婚/#/#/昏/#			
352	hún	#/#/#/#/#/浑、魂	373	jiáo	#/#/#/#/#/#/嚼
353	hùn	#/#/#/#/#/混/#	374	jiǎo	#/角（另见jué)、饺、脚/#/#/#/狡、绞、矫、搅、缴
354	huō	#/#/#/#/#/#/豁（另见huò)	375	jiào	叫、觉（另见jué)、教（另见jiāo)/#/较/#/#/#/轿、酵
355	huó	#/活/和（另见hé、hè)/#/#/#/#			
356	huǒ	火/#/#/伙/#/#/#	376	jiē	#/接、街、结（另见jié)/阶/#/揭/皆
357	huò	#/或/#/货、获/#/#/豁（另见huō)、祸、惑、霍	377	jié	#/节、结（另见jiē)/#/#/#/杰、洁、截/劫、捷、竭
358	jī	机、鸡/#/积、基、几（另见jǐ)、圾、激/击、肌/#/讥、饥、缉、畸、稽	378	jiě	姐/#/解/#/#/#
			379	jiè	介/借/界/#/戒、届/#/诫
359	jí	#/等级、急/及、极、集/即/辑、籍、吉、疾、棘、嫉	380	jīn	今/斤/金、巾/#/禁（另见jìn)/津、筋

381	jǐn	＃/＃/仅、尽（另见 jìn）、紧/＃/＃/＃/锦、谨
382	jìn	进/近/＃/尽（另见 jǐn）、劲、禁（另见 jīn）/＃/＃/晋、浸
383	jīng	京/经、睛/精/惊/＃/＃/茎、荆、晶、兢
384	jǐng	＃/＃/景、警/＃/＃/井/阱、颈
385	jìng	净/静/境/竟、镜/竞、敬/径/＃
386	jiǒng	＃/＃/＃/＃/＃/＃/窘
387	jiū	＃/＃/＃/究/＃/纠/揪
388	jiǔ	九/久、酒/＃/＃/＃/＃/灸
389	jiù	就/＃/旧、救/＃/＃/＃/舅
390	jū	＃/＃/＃/居/＃/＃/拘、鞠
391	jú	＃/＃/＃/局/＃/＃/菊、橘
392	jǔ	＃/举/＃/＃/＃/＃/沮、矩
393	jù	＃/句/具、剧、据/巨/距、聚/拒、俱/＃/炬、惧、锯
394	juān	＃/＃/＃/＃/＃/＃/捐/＃
395	juǎn	＃/＃/＃/卷（另见 juàn）/＃/＃/＃
396	juàn	＃/＃/＃/卷（另见 juǎn）/＃/倦、圈（另见 quān）
397	jué	觉（另见 jiào）/＃/决、绝/角（另见 jiǎo）/＃/＃/诀、倔（另见 juè）、掘、崛、爵
398	juè	＃/＃/＃/＃/＃/＃/倔（另见 jué）
399	jūn	＃/＃/＃/均/军/菌、君/钧
400	jùn	＃/＃/＃/＃/＃/＃/俊、峻、骏、竣
401	kā	＃/＃/咖/＃/＃/＃/＃
402	kǎ	＃/卡（另见 qiǎ）/＃/＃/＃/＃/＃
403	kāi	开/＃/＃/＃/＃/＃/＃
404	kǎi	＃/＃/＃/＃/＃/凯、慨、楷
405	kān	＃/＃/＃/＃/＃/刊、看（另见 kàn）/勘、堪
406	kǎn	＃/＃/＃/＃/＃/＃/侃、砍、槛
407	kàn	看（另见 kān）/＃/＃/＃/＃/＃/＃
408	kāng	＃/康/＃/＃/＃/＃/慷
409	káng	＃/＃/＃/＃/＃/＃/扛
410	kàng	＃/＃/＃/＃/＃/抗/＃
411	kǎo	考/＃/＃/＃/烤/＃/＃
412	kào	＃/靠/＃/＃/＃/＃/＃
413	kē	＃/科/＃/棵、颗/＃/苛、磕
414	ké	＃/＃/＃/＃/咳/＃/壳
415	kě	渴/可/＃/＃/＃/＃/＃
416	kè	客、课/克、刻/＃/＃/＃/＃/＃
417	kěn	＃/＃/＃/＃/肯/＃/垦、恳、啃
418	kēng	＃/＃/＃/＃/＃/＃/坑、吭
419	kōng	＃/空（另见 kòng）/＃/＃/＃/＃/＃
420	kǒng	＃/＃/恐/＃/＃/＃/孔※
421	kòng	＃/空（另见 kōng）/＃/＃/控/＃/＃
422	kōu	＃/＃/＃/＃/＃/＃/抠
423	kǒu	口/＃/＃/＃/＃/＃/＃
424	kòu	＃/＃/＃/＃/＃/扣/＃
425	kū	＃/哭/＃/＃/＃/＃/枯、窟
426	kǔ	＃/＃/苦/＃/＃/＃/＃
427	kù	＃/＃/裤/＃/库、酷/＃
428	kuā	＃/＃/＃/＃/＃/＃/夸
429	kuǎ	＃/＃/＃/＃/＃/＃/垮
430	kuà	＃/＃/＃/＃/＃/跨/挎
431	kuài	块、快/筷/＃/会（另见 huì）/＃/＃/＃
432	kuān	＃/＃/＃/宽/＃/＃/＃
433	kuǎn	＃/＃/＃/款/＃/＃/＃
434	kuāng	＃/＃/＃/＃/＃/＃/筐
435	kuáng	＃/＃/＃/狂/＃/＃/＃
436	kuàng	＃/＃/况/矿/＃/＃/旷、框
437	kuī	＃/＃/＃/＃/亏/＃/窥

438	kuí	#/#/#/#/#/#/魁	470	lǐ	里/礼、理/李/#/#/#/#
439	kuì	#/#/#/#/#/馈、溃、愧	471	lì	#/力、利、例、历、立、丽/#/厉、励/#/吏、隶、粒
440	kūn	#/#/#/#/#/#/昆			
441	kǔn	#/#/#/#/#/#/捆	472	liǎ	#/#/#/俩/#/#/#
442	kùn	#/#/困/#/#/#/#	473	lián	#/#/连、联/#/怜、帘/#/莲、廉
443	kuò	#/#/#/扩、括/#/阔/廓			
444	lā	#/拉/#/垃/#/#/#	474	liǎn	#/脸/#/#/#/#/敛
445	lǎ	#/#/#/#/#/#/喇	475	liàn	#/练/#/炼、恋/#/链
446	là	#/#/#/辣/落（另见luò)/#/腊、蜡	476	liáng	#/凉/#/良、量（另见liàng)、粮/#/梁/#
447	la	#/#/#/#/#/啦/#	477	liǎng	两/#/#/#/#/#/#
448	lái	来/#/#/#/#/#/#	478	liàng	#/亮、辆、量（另见liáng)/#/#/#/谅/#
449	lài	#/#/#/#/#/赖/#			
450	lán	#/蓝、篮/#/#/#/栏、兰、拦、婪、澜	479	liáo	#/#/#/疗、聊/#/#/辽、僚、寥、潦
451	lǎn	#/#/#/#/览、懒、揽、缆	480	liǎo	#/#/了（另见le)/#/#/#/#
452	làn	#/#/#/#/烂/#/滥	481	liào	#/#/#/料/#/#/#
453	láng	#/#/#/郎/#/#/狼、廊	482	liē	#/#/#/#/#/#/咧（另见liě)
454	lǎng	#/#/#/朗/#/#	483	liě	#/#/#/#/#/#/咧（另见liē)
455	làng	#/#/#/浪/#/#/#			
456	lāo	#/#/#/#/#/#/捞	484	liè	#/#/烈、列/#/裂/劣、猎
457	láo	#/#/#/劳、牢/唠	485	līn	#/#/#/#/#/#/拎
458	lǎo	老/#/#/#/#/#/姥	486	lín	#/#/#/林、临/邻/#/淋
459	lào	#/#/#/#/#/#/涝	487	lìn	#/#/#/#/#/#/赁
460	lè	#/乐（另见yuè)/#/#/#/#/勒（另见lēi)	488	líng	零（〇)/#/#/#/铃、龄/灵/凌、陵
461	le	了（另见liǎo)/#/#/#/#/#/#	489	lǐng	#/#/领/#/#/#/岭
462	lēi	#/#/#/#/#/#/勒（另见lè)	490	lìng	#/#/另/#/令/#/#
463	léi	#/#/#/雷/#/#/#	491	liū	#/#/#/#/#/#/溜
464	lěi	#/#/#/累（另见lèi)/#/#/垒、磊、蕾	492	liú	#/留、流/#/#/#/#/浏、瘤、刘※
465	lèi	累（另见lěi)/#/#/类、泪/#/#/#	493	liǔ	#/#/#/#/#/#/柳
			494	liù	六/#/#/#/#/#/遛
466	léng	#/#/#/#/#/#/棱	495	lóng	#/#/龙/#/#/咙、胧、聋、笼（另见lǒng)、隆、窿
467	lěng	冷/#/#/#/#/#/#			
468	lèng	#/#/#/#/#/#/愣	496	lǒng	#/#/#/#/#/#/拢、垄、笼（另见lóng)
469	lí	#/离/#/厘、梨、璃/#/黎			

497	lóu	楼/#/#/#/#/#/#
498	lǒu	#/#/#/#/#/#/搂
499	lòu	#/#/#/#/漏/露(另见lù)/陋
500	lú	#/#/#/#/#/炉/芦
501	lǔ	#/#/#/#/#/卤、虏、鲁
502	lù	路/#/录/陆/#/露(另见lòu)/赂、鹿、碌
503	lǚ	#/旅/#/#/#/#/侣、铝、屡、缕、履、吕※
504	lǜ	#/绿/#/律、虑、率(另见shuài)/#/#/滤
505	luán	#/#/#/#/#/#/孪
506	luǎn	#/#/#/#/#/#/卵
507	luàn	#/#/乱/#/#/#/#
508	lüè	#/#/#/#/略/掠
509	lūn	#/#/#/#/#/#/抡
510	lún	#/#/#/轮/#/#/伦
511	lùn	#/论/#/#/#/#/#
512	luó	#/#/#/#/逻/#/罗、萝、螺
513	luǒ	#/#/#/#/#/#/裸
514	luò	#/#/落(另见là)/络/#/#/#
515	mā	妈/#/#/#/#/#/#
516	má	#/#/麻/#/#/#/#
517	mǎ	马/#/#/码/#/#/#
518	mà	#/#/#/骂/#/#/#
519	ma	吗/#/#/#/嘛/#
520	mái	#/#/#/#/埋(另见mán)/#
521	mǎi	买/#/#/#/#/#/#
522	mài	#/卖/#/#/麦、迈、脉
523	mán	#/#/#/#/#/馒/埋(另见mái)、蛮、瞒
524	mǎn	#/满/#/#/#/#/#
525	màn	慢/#/#/#/漫/#/蔓
526	máng	忙/#/#/#/#/盲/芒、氓、茫
527	mǎng	#/#/#/#/#/#/莽
528	māo	#/猫/#/#/#/#/#
529	máo	毛/#/#/#/矛/#/茅、髦
530	mào	#/#/冒/帽/贸、貌/#/茂
531	me	么/#/#/#/#/#/#
532	méi	没(另见mò)/#/媒/#/煤/梅/玫、枚、眉、霉
533	měi	#/#/每、美/#/#/#/#
534	mèi	妹/#/#/#/#/昧、媚、魅
535	mēn	#/#/#/#/#/#/闷(另见mèn)
536	mén	门/#/#/#/#/#/#
537	mèn	#/#/#/#/#/#/闷(另见mēn)
538	men	们/#/#/#/#/#/#
539	mēng	#/#/#/#/#/#/蒙(另见méng)/#
540	méng	#/#/#/#/#/蒙(另见mēng)、盟/萌、朦
541	měng	#/#/#/#/#/猛/#
542	mèng	#/#/#/#/梦/#/#/孟※
543	mí	#/#/迷/#/#/#/弥、谜
544	mǐ	米/#/#/#/#/#/#
545	mì	#/#/#/秘、密/#/#/觅、泌、蜜
546	mián	#/#/#/#/眠/棉/绵
547	miǎn	#/#/#/免/#/勉、缅
548	miàn	面/#/#/#/#/#/#
549	miáo	#/#/描/#/#/苗、瞄
550	miǎo	#/#/#/秒/#/渺
551	miào	#/#/#/#/#/妙/庙
552	miè	#/#/#/#/#/灭/蔑
553	mín	#/#/民/#/#/#/#
554	mǐn	#/#/#/敏/#/#/#
555	míng	名、明/#/#/#/#/#/鸣、铭
556	mìng	#/#/命/#/#/#/#
557	miù	#/#/#/#/#/#/谬
558	mō	#/#/#/摸/#/#/#
559	mó	#/#/#/模(另见mú)/摩/膜、磨、蘑、魔

#	音节	汉字	#	音节	汉字
560	mǒ	#/#/#/#/#/#/抹	592	niào	#/#/#/#/#/#/尿
561	mò	#/末/#/默/漠/没(另见méi)、墨/沫、陌、莫、寞	593	niē	#/#/#/#/#/#/捏
			594	nín	您/#/#/#/#/#/#
562	móu	#/#/#/#/#/谋/#	595	níng	#/#/#/宁(另见nìng)/#/#/拧(另见nǐng)、凝
563	mǒu	#/某/#/#/#/#/#			
564	mú	#/#/#/#/模(另见mó)/#/#	596	nǐng	#/#/#/#/#/#/拧(另见níng)
565	mǔ	#/#/母/#/#/牡、亩、姆			
566	mù	#/目/木/#/幕/墓、沐、牧、募、睦、慕、暮、穆	597	nìng	#/#/#/#/#/#/宁(另见níng)
			598	niú	牛/#/#/#/#/#/#
567	ná	拿/#/#/#/#/#/#	599	niǔ	#/#/#/#/#/扭/纽
568	nǎ	哪(另见na)/#/#/#/#/#/#	600	nóng	#/#/农/浓/#/#/#
569	nà	那/#/#/#/#/纳/呐	601	nòng	#/弄/#/#/#/#/#
570	na	#/#/#/哪(另见nǎ)/#/#/#	602	nú	#/#/#/#/#/#/奴
			603	nǔ	#/努/#/#/#/#/#
571	nǎi	奶/#/#/#/#/#/乃	604	nù	#/#/#/#/#/怒/#
572	nài	#/#/#/#/奈、耐/#/#	605	nǚ	女/#/#/#/#/#/#
573	nán	男、南、难(另见nàn)/#/#/#/#	606	nuǎn	#/#/暖/#/#/#/#
574	nàn	#/#/#/#/难(另见nán)/#/#	607	nüè	#/#/#/#/#/#/虐
575	náng	#/#/#/#/#/#/囊	608	nuó	#/#/#/#/#/#/挪
576	náo	#/#/#/#/#/#/挠	609	nuò	#/#/#/#/#/诺/#
577	nǎo	脑/#/#/#/#/#/恼	610	ò	#/#/#/#/#/#/哦
578	nào	#/#/#/闹/#/#/#	611	ōu	#/#/#/#/#/#/殴、欧※
579	ne	呢/#/#/#/#/#/#	612	ǒu	#/#/#/#/#/偶/呕
580	něi	#/#/#/#/#/#/馁	613	pā	#/#/#/#/#/#/趴
581	nèi	#/#/内/#/#/#/#	614	pá	#/爬/#/#/#/#/#
582	nèn	#/#/#/#/#/#/嫩	615	pà	#/怕/#/#/#/#/帕
583	néng	能/#/#/#/#/#/#	616	pāi	#/#/拍/#/#/#/#
584	ní	#/#/#/#/#/泥/尼	617	pái	#/排/牌/#/#/#/徘
585	nǐ	你/#/#/#/#/#/拟	618	pài	#/#/派/#/#/#/#
586	nì	#/#/#/#/#/逆、匿、腻	619	pān	#/#/#/#/#/#/攀、潘※
587	nián	年/#/#/#/#/#/黏	620	pán	#/#/#/盘/#/#/#
588	niàn	#/#/念/#/#/#/#	621	pàn	#/#/判/#/#/盼/叛、畔
589	niáng	#/#/#/娘/#/#/#	622	pāng	#/#/#/#/#/#/乓
590	niàng	#/#/#/#/#/酿	623	páng	旁/#/#/#/#/#/庞
591	niǎo	#/鸟/#/#/#/#/#	624	pàng	#/#/胖/#/#/#/#
			625	pāo	#/#/#/#/#/#/抛

626	páo	# / # / # / # / # / # / 刨、袍
627	pǎo	跑 / # / # / # / # / # / #
628	pào	# / # / # / # / # / 泡、炮 / #
629	pēi	# / # / # / # / # / # / 胚
630	péi	# / # / # / 培 / 陪、赔 / # / #
631	pèi	# / # / 配 / # / # / # / 沛、佩
632	pēn	# / # / # / # / 喷 / # / #
633	pén	# / # / # / # / 盆 / # / #
634	pēng	# / # / # / # / # / 抨、烹
635	péng	朋 / # / # / # / # / 棚、蓬、鹏、篷、膨
636	pěng	# / # / # / # / # / # / 捧
637	pèng	# / 碰 / # / # / # / # / #
638	pī	# / # / 批 / # / 披 / # / 劈
639	pí	# / # / 皮、啤 / # / 脾 / # / 疲
640	pǐ	# / # / # / # / 匹 / # / #
641	pì	# / # / # / # / # / # / 辟、媲、僻、譬
642	piān	# / 篇 / # / # / # / 偏 / 片（另见 piàn）
643	pián	# / 便（另见 biàn）/ # / # / # / # / #
644	piàn	# / 片（另见 piān）/ # / # / 骗 / # / #
645	piāo	# / # / # / # / # / # / 漂（另见 piào）、飘
646	piào	票 / 漂（另见 piāo）/ # / # / # / # / #
647	piě	# / # / # / # / # / # / 撇
648	pīn	# / # / # / # / 拼 / # / #
649	pín	# / # / # / # / 频、贫 / #
650	pǐn	# / # / 品 / # / # / # / #
651	pìn	# / # / # / # / # / 聘 / #
652	pīng	# / # / # / # / # / # / 乒
653	píng	# / 平、瓶 / 评、苹 / # / 凭、屏、坪、萍
654	pō	# / # / # / # / 泼 / 坡 / 颇
655	pó	# / # / # / 婆 / # / # / #
656	pò	# / # / 破 / 迫 / # / # / 魄
657	pōu	# / # / # / # / # / # / 剖
658	pū	# / # / # / # / # / 扑、铺（另见 pù）/ #
659	pú	# / # / # / # / 葡 / # / 仆、菩
660	pǔ	# / 普 / # / # / # / # / 朴、谱、浦※
661	pù	# / # / # / # / # / 铺（另见 pū）/ 瀑
662	qī	七、期 / # / # / 妻 / # / 欺 / 沏、栖、凄、戚、漆
663	qí	# / 其、骑、齐、奇 / # / # / 旗、歧、祈、棋
664	qǐ	起 / # / # / 企 / 启 / # / 乞、岂
665	qì	气、汽 / # / 器 / # / 弃 / # / 迄、泣、契、砌
666	qiā	# / # / # / # / # / # / 掐
667	qiǎ	# / # / # / # / # / # / 卡（另见 kǎ）
668	qià	# / # / # / # / # / 恰 / 洽
669	qiān	# / 千 / # / # / 签 / 迁、牵、铅、谦 / #
670	qián	前、钱 / # / # / # / # / # / 潜、虔、钳
671	qiǎn	# / # / 浅 / # / # / 遣、谴
672	qiàn	# / # / # / # / 欠 / 歉 / 嵌
673	qiāng	# / # / # / # / 枪 / # / 呛（另见 qiàng）、腔
674	qiáng	# / 墙、强（另见 jiàng、qiǎng）/ # / # / # / #
675	qiǎng	# / # / # / # / 抢、强（另见 jiàng、qiáng）/ # / #
676	qiàng	# / # / # / # / # / # / 呛（另见 qiāng）
677	qiāo	# / # / # / # / 悄、敲 / # / #
678	qiáo	# / # / 桥 / # / 瞧 / 乔、侨
679	qiǎo	# / # / 巧 / # / # / # / #
680	qiào	# / # / # / # / # / # / 俏、窍、翘、撬

681	qiē	＃/＃/＃/切（另见 qiè）/＃/＃/＃	712	rào	＃/＃/＃/＃/绕/＃/＃
682	qié	＃/＃/＃/＃/茄/＃	713	rě	＃/＃/＃/＃/＃/惹
683	qiě	＃/且/＃/＃/＃/＃/＃	714	rè	热/＃/＃/＃/＃/＃
684	qiè	＃/＃/切（另见 qiē）/＃/＃/＃/怯、窃	715	rén	人/＃/＃/＃/＃/仁
685	qīn	＃/＃/亲/＃/＃/侵/钦	716	rěn	＃/＃/＃/＃/忍/＃
686	qín	＃/＃/＃/＃/琴、勤/＃/禽、秦※	717	rèn	认/＃/任/＃/＃/＃/韧
687	qǐn	＃/＃/＃/＃/＃/＃/寝	718	rēng	＃/＃/＃/＃/扔/＃/＃
688	qīng	＃/青、轻、清/＃/＃/＃/倾/＃	719	réng	＃/＃/＃/仍/＃/＃
689	qíng	＃/情、晴/＃/＃/＃/＃/擎	720	rì	日/＃/＃/＃/＃
690	qǐng	请/＃/＃/＃/＃/＃/顷	721	róng	＃/＃/容/＃/荣、绒/融/溶
691	qìng	＃/＃/庆/＃/＃/＃/＃	722	rǒng	＃/＃/＃/＃/＃/冗
692	qióng	＃/＃/＃/穷/＃/＃	723	róu	＃/＃/＃/＃/＃/柔、揉
693	qiū	＃/秋/＃/＃/＃/＃/丘	724	ròu	肉/＃/＃/＃/＃/＃
694	qiú	球/求/＃/＃/＃/＃/囚	725	rú	＃/如/＃/＃/＃/儒
695	qū	＃/＃/区/趋/＃/曲（另见 qǔ）/驱、屈、躯	726	rǔ	＃/＃/＃/＃/乳/辱
696	qú	＃/＃/＃/＃/＃/渠/＃	727	rù	＃/入/＃/＃/＃/＃
697	qǔ	＃/取/＃/＃/曲（另见 qū）/＃/娶	728	ruǎn	＃/＃/＃/＃/软/＃/＃
698	qù	去/＃/＃/趣/＃/＃/＃	729	ruì	＃/＃/＃/＃/＃/锐、瑞
699	quān	＃/＃/＃/圈（另见 juàn）/＃/＃/＃	730	rùn	＃/＃/＃/＃/＃/润/＃
700	quán	＃/全/＃/权、泉/＃/＃/拳	731	ruò	＃/＃/＃/弱/＃/若/＃
701	quǎn	＃/＃/＃/＃/＃/＃/犬	732	sā	＃/＃/＃/＃/＃/撒
702	quàn	＃/＃/＃/＃/劝/券/＃	733	sǎ	＃/＃/＃/＃/洒/＃
703	quē	＃/＃/＃/缺/＃/＃/＃	734	sà	＃/＃/＃/＃/＃/萨
704	què	＃/确/＃/却/＃/＃/雀	735	sāi	＃/＃/＃/＃/＃/塞（另见 sè）/＃
705	qún	＃/＃/裙、群/＃/＃/＃/＃	736	sài	＃/＃/赛/＃/＃/＃/＃
706	rán	＃/然/＃/＃/燃/＃/＃	737	sān	三/＃/＃/＃/＃/＃/＃
707	rǎn	＃/＃/＃/＃/染/＃/＃	738	sǎn	＃/＃/＃/伞/散（另见 sàn）/＃/＃
708	rǎng	＃/＃/＃/＃/＃/＃/壤、攘、嚷	739	sàn	＃/＃/散（另见 sǎn）/＃/＃/＃/＃
709	ràng	＃/让/＃/＃/＃/＃/＃	740	sāng	＃/＃/＃/＃/＃/＃/桑
710	ráo	＃/＃/＃/＃/＃/＃/饶	741	sǎng	＃/＃/＃/＃/＃/＃/嗓
711	rǎo	＃/＃/＃/＃/扰/＃/＃	742	sàng	＃/＃/＃/＃/＃/丧/＃
			743	sāo	＃/＃/＃/＃/＃/＃/骚
			744	sǎo	＃/＃/＃/扫/＃/＃/嫂
			745	sào	＃/＃/＃/＃/＃/＃/臊

746	sè	#/色/#/#/#/塞(另见sāi)/#
747	sēn	#/#/#/森/#/#/#
748	sēng	#/#/#/#/#/#/僧
749	shā	#/#/沙/#/杀/#/纱、刹(另见chà)、砂、鲨
750	shǎ	#/#/#/#/傻/#/#
751	shà	#/#/#/#/#/#/厦
752	shāi	#/#/#/#/#/#/筛
753	shài	#/#/#/晒/#/#/#
754	shān	山/#/衫/#/扇(另见shàn)/#/删、煽
755	shǎn	#/#/#/闪/#/#/#
756	shàn	#/#/善/#/扇(另见shān)/#/擅、膳、赡
757	shāng	商/#/伤/#/#/#/#
758	shǎng	#/#/#/赏/#/#/#
759	shàng	上/#/#/尚/#/#/#
760	shāo	#/#/#/烧/稍/#/捎、梢
761	sháo	#/#/#/#/#/#/勺/#
762	shǎo	少(另见shào)/#/#/#/#/#/#
763	shào	绍/少(另见shǎo)/#/#/#/#/哨
764	shē	#/#/#/#/#/#/奢
765	shé	#/#/#/#/#/蛇/舌/#
766	shě	#/#/#/#/#/舍(另见shè)/#/#
767	shè	#/#/设、社/#/舍(另见shě)、射、摄/涉/慑
768	shéi	谁(另见shuí)/#/#/#/#/#/#
769	shēn	身/#/深/申/伸/#/绅
770	shén	什/#/神/#/#/#/#
771	shěn	#/#/#/#/审/#/#
772	shèn	#/#/#/甚/#/肾、渗、慎
773	shēng	生/声/升/#/#/牲/#
774	shéng	#/#/#/#/#/#/绳
775	shěng	#/省(另见xǐng)/#/#/#/#/#
776	shèng	#/#/胜/#/剩/圣、盛(另见chéng)/#
777	shī	师/#/失/诗、施、湿/#/#/尸、狮
778	shí	十、时、识/实/食/石/#/拾/#/蚀
779	shǐ	#/使/始/史/驶/#/矢
780	shì	事、试、视、是/示/市、适、室/世、式、势/士、似(另见sì)、释、饰、柿/#/氏、侍、逝、嗜、誓
781	shi	#/#/#/#/#/#/匙
782	shōu	#/收/#/#/#/#/#
783	shóu	#/熟(另见shú)/#/#/#/#/#
784	shǒu	手/#/首/守/#/#/#
785	shòu	#/受/#/授/售/寿、瘦/#/兽
786	shū	书/舒/输/叔、殊/蔬/#/抒、枢、梳、疏
787	shú	#/熟(另见shóu)/#/#/#/#/赎
788	shǔ	#/数(另见shù)/属/暑/鼠/薯、署、曙、蜀※
789	shù	树/数(另见shǔ)/术、束/述/#/#/竖、恕、墅
790	shuā	#/#/#/刷/#/#/#
791	shuǎ	#/#/#/#/#/#/耍
792	shuāi	#/#/#/#/摔/#/衰
793	shuǎi	#/#/#/#/#/#/甩
794	shuài	#/#/#/帅、率(另见lǜ)/#/#/#
795	shuān	#/#/#/#/#/#/拴、栓
796	shuàn	#/#/#/#/#/#/涮
797	shuāng	#/#/#/#/双/#/霜
798	shuǎng	#/#/#/#/#/爽/#
799	shuí	谁(另见shéi)/#/#/#/#/#/#

800	shuǐ	水/#/#/#/#/#/#
801	shuì	睡/#/#/#/#/税/#
802	shùn	#/顺/#/#/#/#/瞬
803	shuō	说/#/#/#/#/#/#
804	shuò	#/#/#/#/硕/#/烁
805	sī	#/司、思/#/#/私/丝、斯、撕
806	sǐ	#/#/死/#/#/#/#
807	sì	四/#/似（另见 shì）/#/#/寺、伺（另见 cì）、祀、饲、肆
808	sōng	#/#/#/松/#/#/#
809	sǒng	#/#/#/#/#/#/耸
810	sòng	送/#/#/#/#/#/讼、诵、颂、宋※
811	sōu	#/#/#/#/搜/#/艘
812	sòu	#/#/#/#/#/#/嗽
813	sū	#/#/#/#/#/苏、酥
814	sú	#/#/#/俗/#/#/#
815	sù	诉/#/速/塑/肃、宿/素/溯
816	suān	#/#/#/#/酸/#/#/#
817	suàn	#/算/#/#/#/#/蒜
818	suī	#/虽/#/#/#/#/#
819	suí	#/随/#/#/#/#/#
820	suǐ	#/#/#/#/#/#/髓
821	suì	岁/#/#/#/碎/#/遂、隧
822	sūn	#/#/#/孙/#/#/#
823	sǔn	#/#/#/#/损/#/#
824	suō	#/#/#/缩/#/#/嗦
825	suǒ	#/所/#/#/索、锁/#/#
826	tā	他、她、它/#/#/#/#/#/塌
827	tǎ	#/#/#/#/#/塔/#
828	tà	#/#/#/#/#/踏/#
829	tāi	#/#/#/#/#/#/胎
830	tái	#/#/台/#/抬/#/#
831	tài	太/态/#/#/#/#/汰、泰
832	tān	#/#/#/#/#/#/贪、摊、滩、瘫
833	tán	#/#/谈/#/弹（另见 dàn）/#/坛、痰、潭
834	tǎn	#/#/#/#/坦/#/毯
835	tàn	#/#/#/#/#/叹、探/炭、碳
836	tāng	#/#/汤/#/#/#/#
837	táng	#/堂/糖/#/#/#/塘、膛、唐※
838	tǎng	#/#/#/躺/#/#/倘、淌
839	tàng	#/#/#/#/趟/烫
840	tāo	#/#/#/#/#/掏/涛、滔
841	táo	#/#/#/#/逃、桃、萄/#/陶、淘
842	tǎo	#/讨/#/#/#/#/#
843	tào	#/套/#/#/#/#/#
844	tè	#/特/#/#/#/#/#
845	téng	#/疼/#/#/#/#/腾、藤
846	tī	#/#/#/梯/#/踢/剔
847	tí	#/提（另见 dī）、题/#/#/#/#/#
848	tǐ	体/#/#/#/#/#/#
849	tì	#/#/#/替/#/#/屉、剃、涕、惕
850	tiān	天/#/#/#/#/添/#
851	tián	#/#/甜、填/#/田/#
852	tiǎn	#/#/#/#/#/#/舔
853	tiāo	#/#/#/挑（另见 tiǎo）/#/#/#
854	tiáo	条/#/调（另见 diào）/#/#/#/#
855	tiǎo	#/#/#/挑（另见 tiāo）/#/#/#
856	tiào	#/#/跳/#/#/#/#
857	tiē	#/#/贴/#/#/#/#
858	tiě	#/铁/#/#/#/#/帖
859	tīng	听/#/#/#/厅/#/#
860	tíng	#/庭、停/#/#/#/#/廷、亭
861	tǐng	#/挺/#/#/#/#/艇
862	tōng	#/通/#/#/#/#/#

863	tóng	同 / # / # / 童 / # / 铜 / #
864	tǒng	# / # / # / 统 / # / # / 捅、桶、筒
865	tòng	# / # / # / 痛 / # / # / #
866	tōu	# / # / # / 偷 / # / # / #
867	tóu	# / 头 / # / 投 / # / # / #
868	tòu	# / # / # / 透 / # / # / #
869	tū	# / # / 突 / # / # / # / 凸、秃
870	tú	图 / # / # / 途 / # / 徒 / 涂、屠
871	tǔ	# / # / 土 / # / 吐（另见 tù）/ # / #
872	tù	# / # / # / # / 吐（另见 tǔ）、兔 / # / #
873	tuán	# / # / 团 / # / # / # / #
874	tuī	# / 推 / # / # / # / # / #
875	tuí	# / # / # / # / # / # / 颓
876	tuǐ	# / 腿 / # / # / # / # / #
877	tuì	# / 退 / # / # / # / # / #
878	tūn	# / # / # / # / # / 吞 / #
879	tún	# / # / # / # / # / # / 屯
880	tuō	# / # / # / 脱 / 托、拖 / #
881	tuó	# / # / # / # / # / # / 驮
882	tuǒ	# / # / # / # / # / # / 妥
883	tuò	# / # / # / # / # / # / 拓、唾
884	wā	# / # / # / # / # / 挖 / 蛙
885	wá	# / # / # / # / 娃 / #
886	wǎ	# / # / # / # / # / # / 瓦
887	wà	# / # / # / 袜 / # / # / #
888	wa	# / # / # / # / # / 哇 / #
889	wāi	# / # / # / # / # / # / 歪
890	wài	外 / # / # / # / # / # / #
891	wān	# / # / # / 弯 / # / 湾 / #
892	wán	玩 / 完 / # / # / # / 顽 / 丸
893	wǎn	晚 / 碗 / # / # / # / # / 挽、惋、婉
894	wàn	# / 万 / # / # / # / # / 腕
895	wāng	# / # / # / # / # / # / 汪
896	wáng	# / 王 / # / # / # / 亡 / #
897	wǎng	网 / 往 / # / # / # / # / 枉
898	wàng	忘 / # / 望 / # / # / 旺 / 妄
899	wēi	# / # / 危 / 微 / # / 威 / #
900	wéi	# / 为（另见 wèi）/ 围 / 维 / 违、唯 / # / #
901	wěi	# / # / 伟 / 尾 / 委 / # / 伪、纬、萎
902	wèi	# / 为（另见 wéi）、位、味、喂 / 卫、未、谓、胃、慰 / # / 畏、魏※
903	wēn	# / 温 / # / # / # / # / 瘟
904	wén	文 / 闻 / # / # / # / 纹、蚊
905	wěn	# / # / 稳 / # / # / # / 吻、紊
906	wèn	问 / # / # / # / # / # / #
907	wēng	# / # / # / # / # / # / 翁
908	wō	# / # / # / # / # / 涡、窝
909	wǒ	我 / # / # / # / # / # / #
910	wò	# / # / 握 / # / 卧 / # / 沃
911	wū	# / # / 屋 / # / 污 / 乌 / 巫、呜
912	wú	# / # / # / 无 / # / # / 吴※
913	wǔ	五、午 / # / 武、舞 / # / # / 伍 / 侮、捂
914	wù	# / 务 / 物 / 误 / # / # / 悟、勿、恶（另见 ě、è）、晤、雾
915	xī	西、息 / # / 希 / 吸 / 夕 / 析、悉、惜 / 牺、昔、晰、稀、锡、溪、熙、熄、膝、嬉
916	xí	习 / # / # / 席 / # / # / 袭、媳
917	xǐ	洗、喜 / # / # / # / # / # / #
918	xì	系（另见 jì）/ # / 戏 / 细 / # / # / 隙
919	xiā	# / # / # / # / # / # / 虾、瞎
920	xiá	# / # / # / # / # / 侠、峡、狭、辖、霞
921	xià	下 / 夏 / # / # / 吓（另见 hè）/ # / #
922	xiān	先 / # / # / 鲜 / # / # / 仙、纤、掀
923	xián	# / # / # / 咸 / 闲 / 嫌 / 贤、弦、衔
924	xiǎn	# / # / 显、险 / # / # / # / #
925	xiàn	现 / # / 线 / 县、限 / 献 / 陷 / 宪、馅、羡、腺

926	xiāng	＃/相（另见xiàng）/乡、香、箱/＃/＃/＃/厢、镶
927	xiáng	＃/＃/＃/＃/详/祥/降（另见jiàng）、翔
928	xiǎng	想/响/＃/＃/享/＃/＃
929	xiàng	＃/向、相（另见xiāng）、像/象/项/＃/＃/巷、橡
930	xiāo	＃/＃/消/销/＃/＃/削（另见xuē）、宵、萧、潇
931	xiáo	＃/＃/＃/＃/＃/＃/淆
932	xiǎo	小/＃/＃/＃/＃/晓/＃
933	xiào	校、笑/＃/效/＃/＃/＃/孝、肖、啸
934	xiē	些/＃/＃/＃/歇/＃/＃
935	xié	＃/鞋/＃/协/斜/胁、谐/邪、挟、携
936	xiě	写/＃/血（另见xuè）/＃/＃/＃/＃
937	xiè	谢/＃/＃/＃/械/泄、泻、卸/屑、懈
938	xīn	新/心/＃/辛/欣、薪/芯/馨
939	xìn	＃/信/＃/＃/＃/＃/衅
940	xīng	星/＃/＃/兴（另见xìng）/＃/＃/猩、腥
941	xíng	行（另见háng）/＃/形/型/＃/＃/刑
942	xǐng	＃/＃/＃/醒/＃/＃/省（另见shěng）
943	xìng	兴（另见xīng）/姓、幸、性/＃/＃/＃/＃
944	xiōng	＃/＃/＃/兄、胸/＃/凶/汹
945	xióng	＃/＃/＃/＃/雄、熊/＃/＃
946	xiū	休/＃/修/＃/＃/＃/羞
947	xiǔ	＃/＃/＃/＃/＃/＃/朽
948	xiù	＃/＃/秀/＃/袖/绣、锈/嗅
949	xū	＃/＃/须/需/虚/＃/墟
950	xú	＃/＃/＃/＃/＃/＃/徐
951	xǔ	＃/许/＃/＃/＃/＃/＃
952	xù	＃/＃/续/序/＃/绪/旭、叙、恤、酗、絮、婿、蓄
953	xuān	＃/＃/宣/＃/＃/＃/喧
954	xuán	＃/＃/＃/＃/悬、旋/玄
955	xuǎn	＃/＃/选/＃/＃/＃/＃
956	xuàn	＃/＃/＃/＃/＃/＃/炫
957	xuē	＃/＃/＃/＃/＃/＃/削（另见xiāo）、靴
958	xué	学/＃/＃/＃/＃/＃/穴
959	xuě	＃/雪/＃/＃/＃/＃/＃
960	xuè	＃/＃/＃/＃/＃/血（另见xiě）/＃
961	xūn	＃/＃/＃/＃/＃/＃/勋、熏
962	xún	＃/＃/＃/寻/询/循/旬、巡
963	xùn	＃/＃/训/迅/＃/讯/汛、驯、逊
964	yā	＃/＃/压/＃/押/鸭/＃/丫、鸦
965	yá	＃/＃/牙/＃/＃/芽/崖、涯
966	yǎ	＃/＃/＃/＃/＃/哑、雅
967	yà	＃/＃/＃/亚/＃/＃/讶
968	ya	＃/＃/＃/呀/＃/＃/＃
969	yān	＃/＃/烟/＃/＃/＃/咽（另见yàn、yè）、淹
970	yán	＃/言、颜/＃/延、严、研、盐/＃/炎、沿/岩、阎
971	yǎn	＃/眼/演/＃/＃/衍、掩
972	yàn	＃/＃/验/＃/厌、艳、宴/咽（另见yān、yè）、雁、焰、燕
973	yāng	＃/＃/＃/＃/央/＃/殃、秧
974	yáng	＃/阳/羊、扬/＃/洋/杨
975	yǎng	＃/养/＃/＃/仰/氧/痒
976	yàng	样/＃/＃/＃/＃/＃/漾
977	yāo	＃/要（另见yào）/＃/腰/邀/＃/妖
978	yáo	＃/＃/＃/摇/＃/＃/窑、谣、遥
979	yǎo	＃/＃/＃/＃/＃/咬/＃
980	yào	要（另见yāo）/药/＃/＃/＃/耀、钥
981	yē	＃/＃/＃/＃/＃/＃/椰

982	yé	爷/#/#/#/#/#/#	1007	yuān	#/#/#/#/#/#/冤、渊
983	yě	也/#/#/#/#/野/冶	1008	yuán	元/园、原/员/圆/源/#/援、缘/袁※
984	yè	页/业、夜/#/叶/#/液/咽（另见 yān、yàn）	1009	yuǎn	远/#/#/#/#/#/#
985	yī	一、衣、医/#/#/依/#/#/伊	1010	yuàn	院/愿/#/#/怨/#/#
986	yí	#/宜/#/姨、移、遗、疑/#/仪/夷、怡	1011	yuē	#/#/约/#/#/#/曰
987	yǐ	#/已、以、椅/#/#/乙/#/矣、倚	1012	yuè	月/乐（另见 lè）、越/#/阅/#/跃/岳、悦、粤※
988	yì	#/亿、意、义、艺、议、易/译、益、忆、谊/异/屹、亦、抑、役、绎、弈、疫、逸、裔、溢、毅、翼	1013	yūn	#/#/#/#/#/晕/#
			1014	yún	#/云/#/#/#/#/匀
			1015	yǔn	#/#/#/#/#/允/陨
			1016	yùn	#/运/#/#/#/孕、酝、韵、蕴
989	yīn	#/因、阴、音/#/#/#/#/荫、姻、殷	1017	zā	#/#/#/#/#/#/扎（另见 zhā、zhá）
990	yín	#/银/#/#/#/#/#	1018	zá	#/#/杂/#/#/#/砸
991	yǐn	#/#/#/引/饮/隐/瘾	1019	zāi	#/#/#/#/灾/#/栽
992	yìn	#/印/#/#/#/#/#	1020	zǎi	#/#/#/载（另见 zài）/仔（另见 zǐ）/#/宰
993	yīng	#/应（另见 yìng）、英/#/#/#/#/婴、鹰	1021	zài	再、在/#/#/载（另见 zǎi）/#/#/#
994	yíng	#/迎/营/赢/#/#/#/荧、盈、莹、蝇	1022	zán	#/咱/#/#/#/#/#
995	yǐng	影/#/#/#/#/#/颖	1023	zǎn	#/#/#/#/#/#/攒
996	yìng	#/应（另见 yīng）/#/映/硬/#/#	1024	zàn	#/#/#/赞/暂/#/#
997	yōng	#/#/#/#/拥/#/佣、庸	1025	zāng	#/脏（另见 zàng）/#/#/#/#/赃
998	yǒng	#/永/泳/勇/#/#/咏、涌、踊	1026	zàng	#/#/#/#/#/脏（另见 zāng）/葬、藏（另见 cáng）
999	yòng	用/#/#/#/#/#/#	1027	zāo	#/#/#/#/#/糟/遭/#
1000	yōu	#/#/优/#/幽/忧/悠	1028	záo	#/#/#/#/#/#/凿
1001	yóu	#/由、油、游、邮/#/尤、犹/#/#/#	1029	zǎo	早/澡/#/#/#/#/枣、藻
1002	yǒu	友、有/#/#/#/#/#/#	1030	zào	#/#/造/#/#/#/皂、灶、噪、燥、躁
1003	yòu	右/又/#/幼/#/#/佑、诱	1031	zé	#/#/责/则、择/#/#/泽
1004	yú	#/于、鱼/#/余/娱、愉/渔、逾、愚、舆、渝※	1032	zéi	#/#/#/#/#/#/贼
1005	yǔ	雨、语/#/#/与/羽/予/宇、屿	1033	zěn	怎/#/#/#/#/#/#
1006	yù	#/育/预/玉/遇/域、豫/欲、誉、驭、吁、郁、狱、浴、喻、御、寓、裕、愈	1034	zēng	#/#/增/#/#/#/#
			1035	zèng	#/#/#/赠/#/#/#

#	音节	汉字	#	音节	汉字
1036	zhā	#/#/#/#/#/#/扎（另见zā、zhá)/渣	1063	zhěng	#/#/整/#/#/#/拯
1037	zhá	#/#/#/#/#/#/扎（另见zā、zhā)、闸、炸（另见zhà)	1064	zhèng	正/#/证/政/挣（另见zhēng)/症/郑
1038	zhǎ	#/#/#/#/#/#/眨	1065	zhī	知/#/只（另见zhǐ)、支、汁/之/织/枝、芝、肢、脂
1039	zhà	#/#/#/#/#/炸（另见zhá)/诈、榨	1066	zhí	#/直/值、职/植/执/殖/#
1040	zhāi	#/#/#/#/#/摘/#/#	1067	zhǐ	#/只（另见zhī)、纸/止、指/址/#/#/旨
1041	zhái	#/#/#/#/#/宅/#	1068	zhì	#/#/至、志、制/质、治、致/智、置/#/#/帜、峙、挚、秩、窒、滞、稚
1042	zhǎi	#/#/#/#/#/#/窄			
1043	zhài	#/#/#/#/#/债/寨	1069	zhōng	中（另见zhòng)/钟/终/#/#/忠、衷
1044	zhān	#/#/#/#/#/#/沾、粘、瞻	1070	zhǒng	#/#/种（另见zhòng)/#/#/肿/#
1045	zhǎn	#/#/展/#/#/#/斩、盏、崭	1071	zhòng	重（另见chóng)/#/众/中（另见zhōng)、种（另见zhǒng)/#/#/仲
1046	zhàn	站/占/#/战/#/#/绽、蘸			
1047	zhāng	#/#/张、章/#/#/#/彰	1072	zhōu	#/周/#/#/#/粥/舟、州※、洲※
1048	zhǎng	#/长（另见cháng)/#/#/#/涨、掌/#/#	1073	zhóu	#/#/#/#/#/#/轴
1049	zhàng	#/#/#/丈/#/账、障、仗、杖、帐、胀	1074	zhòu	#/#/#/#/#/#/宙、昼、皱、骤
			1075	zhū	#/#/猪/#/珠/诸/朱、株
1050	zhāo	#/#/#/招/#/#/朝（另见cháo)	1076	zhú	#/#/逐/竹/#/烛
			1077	zhǔ	#/主/#/#/煮/挂、嘱、瞩
1051	zháo	#/#/#/着（另见zhe、zhuó)/#/#/#	1078	zhù	住/助/注、祝/著/筑、驻、柱/贮、铸
1052	zhǎo	找/#/#/#/#/#/沼	1079	zhuā	#/#/抓/#/#/#/#
1053	zhào	#/照/#/召/#/#/兆、罩、肇、赵※	1080	zhuǎ	#/#/#/#/#/#/爪
			1081	zhuài	#/#/#/#/#/#/拽
1054	zhē	#/#/#/#/#/#/折（另见zhé)、遮	1082	zhuān	#/#/专/#/#/#/砖
1055	zhé	#/#/#/折（另见zhē)/#/哲、辙	1083	zhuǎn	#/#/转（另见zhuàn)/#/#/#/#
1056	zhě	#/者/#/#/#/#/#			
1057	zhè	这/#/#/#/#/#/浙※	1084	zhuàn	#/#/#/#/#/转（另见zhuǎn)、赚/传（另见chuán)、撰
1058	zhe	着（另见zháo、zhuó)/#/#/#/#/#/#			
1059	zhēn	真/#/#/针/珍/#/贞、侦	1085	zhuāng	#/装/#/#/#/庄/妆、桩
1060	zhěn	#/#/#/#/诊/#/枕	1086	zhuàng	#/#/状/#/撞、壮/幢
1061	zhèn	#/#/#/阵、振、震/镇/#	1087	zhuī	#/#/追/#/#/#/#
1062	zhēng	#/#/争/征/#/#/挣（另见zhèng)、睁、筝、蒸			

1088	zhuì	＃/＃/＃/＃/＃/坠、缀	1099	zòu	＃/＃/＃/＃/＃/奏/揍
1089	zhǔn	准/＃/＃/＃/＃/＃/＃	1100	zū	＃/租/＃/＃/＃/＃/＃
1090	zhuō	桌/＃/＃/＃/＃/捉/拙	1101	zú	＃/＃/足、族/＃/＃/＃/卒
1091	zhuó	＃/＃/＃/＃/＃/＃/灼、卓、浊、酌、着（另见zháo、zhe）、琢	1102	zǔ	＃/组/＃/阻/＃/祖/＃
			1103	zuān	＃/＃/＃/＃/＃/钻（另见zuàn）/＃
1092	zī	＃/＃/资/＃/＃/咨/姿、兹、滋	1104	zuàn	＃/＃/＃/＃/＃/＃/钻（另见zuān）
1093	zǐ	子/＃/＃/＃/＃/仔（另见zǎi）、紫/＃/＃	1105	zuǐ	＃/嘴/＃/＃/＃/＃/＃
1094	zì	字/自/＃/＃/＃/＃/＃	1106	zuì	最/＃/＃/＃/醉/罪/＃
1095	zōng	＃/＃/＃/综/＃/宗/踪	1107	zūn	＃/＃/＃/＃/尊、遵/＃/＃
1096	zǒng	＃/＃/总/＃/＃/＃/＃	1108	zuó	昨/＃/＃/＃/＃/＃/＃
1097	zòng	＃/＃/＃/＃/＃/纵/粽	1109	zuǒ	左/＃/＃/＃/＃/＃/佐
1098	zǒu	走/＃/＃/＃/＃/＃/＃	1110	zuò	作、坐、做/座/＃/＃/＃/＃/＃

国际中文教育中文水平等级标准手写汉字表

初等手写汉字（300个）

序号	汉字	序号	汉字	序号	汉字	序号	汉字	序号	汉字
1	爱	33	错	66	服	99	会	132	了
2	八	34	答	67	该	100	火	133	累
3	把	35	打	68	干	101	机	134	冷
4	爸	36	大	69	高	102	鸡	135	里
5	吧	37	但	70	告	103	几	136	两
6	白	38	蛋	71	哥	104	记	137	零
7	百	39	当	72	歌	105	家	138	六
8	半	40	到	73	个	106	假	139	楼
9	帮	41	道	74	给	107	间	140	路
10	包	42	得	75	跟	108	见	141	妈
11	北	43	地	76	更	109	教	142	马
12	备	44	的	77	工	110	叫	143	吗
13	本	45	等	78	关	111	觉	144	买
14	比	46	第	79	贵	112	姐	145	忙
15	边	47	点	80	国	113	介	146	么
16	别	48	电	81	果	114	借	147	没
17	病	49	店	82	过	115	今	148	每
18	不	50	东	83	还	116	进	149	门
19	才	51	动	84	孩	117	净	150	们
20	菜	52	都	85	汉	118	九	151	面
21	茶	53	对	86	好	119	酒	152	名
22	差	54	多	87	号	120	就	153	明
23	长	55	饿	88	喝	121	开	154	木
24	常	56	儿	89	和	122	看	155	拿
25	场	57	而	90	黑	123	考	156	哪
26	唱	58	二	91	很	124	可	157	那
27	车	59	饭	92	后	125	渴	158	奶
28	吃	60	方	93	候	126	课	159	男
29	出	61	房	94	花	127	口	160	南
30	穿	62	放	95	话	128	块	161	难
31	次	63	飞	96	坏	129	快	162	呢
32	从	64	非	97	欢	130	来	163	能
		65	分	98	回	131	老	164	你

165	年	193	上	221	太	249	小	277	院
166	您	194	少	222	体	250	笑	278	月
167	牛	195	绍	223	天	251	些	279	再
168	女	196	身	224	听	252	写	280	在
169	怕	197	什	225	同	253	谢	281	早
170	旁	198	生	226	外	254	新	282	怎
171	跑	199	师	227	完	255	星	283	站
172	朋	200	十	228	玩	256	行	284	找
173	票	201	时	229	晚	257	兴	285	这
174	七	202	识	230	网	258	休	286	着
175	期	203	事	231	忘	259	学	287	真
176	起	204	试	232	为	260	样	288	正
177	气	205	视	233	文	261	要	289	知
178	汽	206	是	234	问	262	也	290	中
179	前	207	手	235	我	263	一	291	助
180	钱	208	书	236	五	264	衣	292	住
181	请	209	树	237	午	265	医	293	准
182	球	210	谁	238	西	266	以	294	子
183	去	211	水	239	息	267	意	295	字
184	然	212	睡	240	习	268	因	296	走
185	让	213	说	241	洗	269	应	297	昨
186	热	214	四	242	喜	270	用	298	作
187	人	215	送	243	系	271	友	299	坐
188	认	216	诉	244	下	272	有	300	做
189	日	217	岁	245	先	273	又		
190	肉	218	所	246	现	274	雨		
191	三	219	他	247	想	275	语		
192	山	220	她	248	向	276	远		

中等手写汉字（新增400个）

序号	汉字									
1	啊	36	称	72	耳	108	河	144	节
2	安	37	成	73	发	109	红	145	结
3	巴	38	城	74	法	110	忽	146	斤
4	班	39	虫	75	烦	111	湖	147	近
5	般	40	除	76	反	112	虎	148	京
6	板	41	楚	77	份	113	护	149	经
7	办	42	处	78	风	114	划	150	睛
8	宝	43	串	79	否	115	华	151	静
9	饱	44	床	80	夫	116	化	152	究
10	报	45	吹	81	父	117	画	153	久
11	抱	46	春	82	妇	118	换	154	举
12	杯	47	词	83	复	119	黄	155	句
13	贝	48	村	84	改	120	活	156	卡
14	背	49	达	85	敢	121	或	157	康
15	被	50	呆	86	感	122	及	158	靠
16	笔	51	带	87	刚	123	级	159	科
17	必	52	单	88	搞	124	急	160	克
18	变	53	旦	89	各	125	己	161	客
19	便	54	刀	90	公	126	计	162	刻
20	遍	55	倒	91	共	127	际	163	空
21	标	56	灯	92	狗	128	寄	164	哭
22	表	57	低	93	够	129	绩	165	筷
23	冰	58	弟	94	古	130	加	166	况
24	兵	59	典	95	故	131	甲	167	困
25	步	60	调	96	顾	132	尖	168	拉
26	部	61	掉	97	瓜	133	检	169	蓝
27	参	62	定	98	挂	134	件	170	篮
28	餐	63	丢	99	观	135	健	171	劳
29	草	64	冬	100	馆	136	江	172	乐
30	层	65	懂	101	管	137	讲	173	离
31	查	66	读	102	惯	138	交	174	礼
32	产	67	度	103	广	139	角	175	李
33	厂	68	短	104	哈	140	饺	176	理
34	超	69	段	105	海	141	脚	177	力
35	晨	70	断	106	喊	142	接	178	利
		71	队	107	合	143	街	179	例

180	俩	219	篇	258	示	297	碗	336	羊
181	连	220	片	259	市	298	万	337	阳
182	脸	221	漂	260	适	299	王	338	养
183	练	222	平	261	室	300	往	339	药
184	凉	223	苹	262	收	301	望	340	爷
185	亮	224	瓶	263	受	302	未	341	业
186	辆	225	普	264	舒	303	位	342	页
187	量	226	妻	265	输	304	味	343	夜
188	另	227	其	266	熟	305	温	344	宜
189	令	228	骑	267	数	306	闻	345	乙
190	留	229	千	268	顺	307	无	346	己
191	流	230	欠	269	司	308	务	347	椅
192	龙	231	且	270	思	309	物	348	亿
193	旅	232	青	271	算	310	误	349	音
194	绿	233	轻	272	虽	311	夏	350	银
195	论	234	清	273	随	312	相	351	饮
196	麻	235	情	274	它	313	香	352	印
197	卖	236	秋	275	态	314	响	353	影
198	满	237	求	276	谈	315	象	354	永
199	慢	238	区	277	汤	316	像	355	由
200	猫	239	取	278	堂	317	校	356	油
201	毛	240	全	279	讨	318	鞋	357	右
202	美	241	确	280	套	319	血	358	于
203	妹	242	扔	281	特	320	心	359	鱼
204	米	243	如	282	疼	321	信	360	与
205	灭	244	入	283	提	322	姓	361	玉
206	民	245	伞	284	题	323	兄	362	育
207	目	246	色	285	田	324	须	363	元
208	脑	247	商	286	条	325	需	364	原
209	念	248	烧	287	庭	326	许	365	愿
210	鸟	249	勺	288	停	327	选	366	约
211	弄	250	舌	289	挺	328	雪	367	越
212	努	251	社	290	通	329	压	368	云
213	爬	252	深	291	痛	330	牙	369	运
214	排	253	声	292	头	331	言	370	咱
215	牌	254	省	293	图	332	研	371	脏
216	盘	255	实	294	土	333	颜	372	澡
217	胖	256	食	295	推	334	眼	373	占
218	碰	257	使	296	腿	335	验	374	张

375	照	381	只	387	猪	393	自	399	左
376	者	382	纸	388	主	394	总	400	座
377	之	383	志	389	抓	395	租		
378	支	384	种	390	转	396	足		
379	直	385	重	391	装	397	组		
380	止	386	周	392	桌	398	最		

高等手写汉字（新增500个）

序号	汉字									
1	矮	35	察	70	担	105	佛	140	含
2	按	36	昌	71	胆	106	肤	141	寒
3	暗	37	尝	72	淡	107	符	142	汗
4	摆	38	抄	73	挡	108	福	143	航
5	败	39	朝	74	导	109	府	144	何
6	版	40	吵	75	岛	110	辅	145	盒
7	扮	41	沉	76	德	111	腐	146	贺
8	伴	42	衬	77	敌	112	付	147	恨
9	棒	43	诚	78	底	113	负	148	厚
10	保	44	承	79	递	114	附	149	呼
11	悲	45	程	80	顶	115	富	150	胡
12	倍	46	迟	81	订	116	盖	151	互
13	笨	47	持	82	冻	117	概	152	户
14	鼻	48	尺	83	斗	118	赶	153	怀
15	币	49	冲	84	豆	119	纲	154	环
16	毕	50	充	85	独	120	钢	155	皇
17	闭	51	抽	86	堵	121	格	156	挥
18	编	52	愁	87	肚	122	根	157	婚
19	宾	53	丑	88	锻	123	功	158	伙
20	饼	54	臭	89	堆	124	贡	159	货
21	并	55	初	90	吨	125	构	160	获
22	播	56	础	91	顿	126	购	161	积
23	博	57	传	92	朵	127	估	162	基
24	补	58	船	93	恶	128	姑	163	吉
25	布	59	窗	94	翻	129	谷	164	极
26	猜	60	闯	95	凡	130	骨	165	即
27	材	61	创	96	范	131	怪	166	集
28	财	62	此	97	防	132	官	167	挤
29	采	63	聪	98	访	133	光	168	纪
30	彩	64	粗	99	肥	134	归	169	技
31	册	65	存	100	费	135	规	170	季
32	测	66	寸	101	奋	136	鬼	171	济
33	曾	67	代	102	丰	137	柜	172	既
34	叉	68	待	103	封	138	滚	173	继
		69	袋	104	疯	139	害	174	夹

175	价	214	棵	253	描	292	亲	331	始
176	架	215	恐	254	命	293	晴	332	士
177	坚	216	苦	255	摸	294	庆	333	世
178	艰	217	宽	256	模	295	曲	334	式
179	减	218	款	257	末	296	趣	335	势
180	简	219	亏	258	某	297	圈	336	释
181	建	220	括	259	母	298	权	337	守
182	将	221	辣	260	闹	299	劝	338	首
183	奖	222	浪	261	内	300	缺	339	寿
184	较	223	雷	262	娘	301	群	340	授
185	解	224	泪	263	宁	302	扰	341	售
186	界	225	类	264	农	303	忍	342	瘦
187	巾	226	历	265	暖	304	任	343	叔
188	金	227	立	266	偶	305	仍	344	暑
189	仅	228	丽	267	拍	306	容	345	属
190	尽	229	联	268	派	307	赛	346	术
191	紧	230	炼	269	判	308	散	347	束
192	禁	231	良	270	盼	309	扫	348	帅
193	惊	232	疗	271	陪	310	森	349	双
194	精	233	料	272	配	311	杀	350	爽
195	景	234	烈	273	盆	312	沙	351	私
196	警	235	林	274	批	313	傻	352	死
197	竟	236	领	275	皮	314	晒	353	寺
198	敬	237	陆	276	匹	315	闪	354	似
199	境	238	录	277	骗	316	善	355	宿
200	镜	239	虑	278	拼	317	伤	356	素
201	旧	240	乱	279	品	318	赏	357	速
202	救	241	落	280	评	319	尚	358	孙
203	居	242	码	281	破	320	舍	359	台
204	局	243	骂	282	齐	321	设	360	糖
205	巨	244	麦	283	奇	322	申	361	躺
206	具	245	冒	284	弃	323	神	362	甜
207	剧	246	贸	285	器	324	升	363	填
208	据	247	媒	286	强	325	圣	364	挑
209	距	248	梦	287	墙	326	胜	365	跳
210	决	249	迷	288	桥	327	失	366	铁
211	绝	250	秘	289	瞧	328	诗	367	童
212	军	251	密	290	巧	329	石	368	突
213	均	252	兔	291	切	330	史	369	团

370	退	397	线	424	叶	451	员	478	职
371	托	398	乡	425	依	452	圆	479	址
372	亡	399	项	426	移	453	源	480	指
373	危	400	消	427	遗	454	阅	481	至
374	围	401	效	428	义	455	晕	482	制
375	伟	402	辛	429	艺	456	杂	483	治
376	卫	403	形	430	议	457	灾	484	致
377	胃	404	醒	431	译	458	载	485	智
378	谓	405	幸	432	易	459	暂	486	终
379	握	406	性	433	益	460	赞	487	钟
380	屋	407	凶	434	谊	461	造	488	众
381	武	408	雄	435	阴	462	责	489	竹
382	舞	409	修	436	引	463	增	490	注
383	夕	410	秀	437	英	464	展	491	祝
384	吸	411	续	438	迎	465	章	492	著
385	希	412	宣	439	营	466	掌	493	专
386	析	413	寻	440	映	467	丈	494	庄
387	悉	414	训	441	泳	468	招	495	状
388	惜	415	亚	442	勇	469	召	496	追
389	席	416	烟	443	优	470	折	497	资
390	戏	417	严	444	尤	471	争	498	综
391	吓	418	炎	445	邮	472	整	499	族
392	鲜	419	盐	446	游	473	证	500	醉
393	闲	420	演	447	余	474	政		
394	显	421	央	448	愉	475	汁		
395	险	422	腰	449	预	476	织		
396	县	423	咬	450	园	477	值		

按音序排列的手写汉字表（1200个）

序号	汉字	等次	序号	汉字	等次	序号	汉字	等次
1	啊	中等	36	备	初等	72	材	高等
2	矮	高等	37	背	中等	73	财	高等
3	爱	初等	38	倍	高等	74	采	高等
4	安	中等	39	被	中等	75	彩	高等
5	按	高等	40	本	初等	76	菜	初等
6	暗	高等	41	笨	高等	77	参	中等
7	八	初等	42	鼻	高等	78	餐	中等
8	巴	中等	43	比	初等	79	草	中等
9	把	初等	44	笔	中等	80	册	高等
10	爸	初等	45	币	高等	81	测	高等
11	吧	初等	46	必	中等	82	层	中等
12	白	初等	47	毕	高等	83	曾	高等
13	百	初等	48	闭	高等	84	叉	高等
14	摆	高等	49	边	初等	85	茶	初等
15	败	高等	50	编	高等	86	查	中等
16	班	中等	51	变	中等	87	察	高等
17	般	中等	52	便	中等	88	差	初等
18	板	中等	53	遍	中等	89	产	中等
19	版	高等	54	标	中等	90	长	初等
20	办	中等	55	表	中等	91	昌	高等
21	半	初等	56	别	初等	92	尝	高等
22	扮	高等	57	宾	高等	93	常	初等
23	伴	高等	58	冰	中等	94	厂	中等
24	帮	初等	59	兵	中等	95	场	初等
25	棒	高等	60	饼	高等	96	唱	初等
26	包	初等	61	并	高等	97	抄	高等
27	饱	中等	62	病	初等	98	超	中等
28	宝	中等	63	播	高等	99	朝	高等
29	保	高等	64	博	高等	100	吵	高等
30	报	中等	65	补	高等	101	车	初等
31	抱	中等	66	不	初等	102	沉	高等
32	杯	中等	67	布	高等	103	晨	中等
33	悲	高等	68	步	中等	104	衬	高等
34	北	初等	69	部	中等	105	称	中等
35	贝	中等	70	猜	高等	106	成	中等
			71	才	初等	107	诚	高等

118

108	承	高等		147	错	初等		186	电	初等
109	城	中等		148	达	中等		187	店	初等
110	程	高等		149	答	初等		188	调	中等
111	吃	初等		150	打	初等		189	掉	中等
112	迟	高等		151	大	初等		190	顶	高等
113	持	高等		152	呆	中等		191	订	高等
114	尺	高等		153	代	高等		192	定	中等
115	冲	高等		154	带	中等		193	丢	中等
116	充	高等		155	待	高等		194	东	初等
117	虫	中等		156	袋	高等		195	冬	中等
118	抽	高等		157	担	高等		196	懂	中等
119	愁	高等		158	单	中等		197	动	初等
120	丑	高等		159	胆	高等		198	冻	高等
121	臭	高等		160	旦	中等		199	都	初等
122	出	初等		161	但	初等		200	斗	高等
123	初	高等		162	淡	高等		201	豆	高等
124	除	中等		163	蛋	初等		202	独	高等
125	础	高等		164	当	初等		203	读	中等
126	楚	中等		165	挡	高等		204	堵	高等
127	处	中等		166	刀	中等		205	肚	高等
128	穿	初等		167	导	高等		206	度	中等
129	传	高等		168	岛	高等		207	短	中等
130	船	高等		169	倒	中等		208	段	中等
131	串	中等		170	到	初等		209	断	中等
132	窗	高等		171	道	初等		210	锻	高等
133	床	中等		172	得	初等		211	堆	高等
134	闯	高等		173	德	高等		212	队	中等
135	创	高等		174	地	初等		213	对	初等
136	吹	中等		175	的	初等		214	吨	高等
137	春	中等		176	灯	中等		215	顿	高等
138	词	中等		177	等	初等		216	多	初等
139	此	高等		178	低	中等		217	朵	高等
140	次	初等		179	敌	高等		218	恶	高等
141	聪	高等		180	底	高等		219	饿	初等
142	从	初等		181	弟	中等		220	儿	初等
143	粗	高等		182	递	高等		221	而	初等
144	村	中等		183	第	初等		222	耳	中等
145	存	高等		184	典	中等		223	二	初等
146	寸	高等		185	点	初等		224	发	中等

225	法	中等		264	富	高等		303	顾	中等
226	翻	高等		265	该	初等		304	瓜	中等
227	凡	高等		266	改	中等		305	挂	中等
228	烦	中等		267	盖	高等		306	怪	高等
229	反	中等		268	概	高等		307	关	初等
230	饭	初等		269	干	初等		308	观	中等
231	范	高等		270	赶	高等		309	官	高等
232	方	初等		271	敢	中等		310	馆	中等
233	防	高等		272	感	中等		311	管	中等
234	房	初等		273	刚	中等		312	惯	中等
235	访	高等		274	纲	高等		313	光	高等
236	放	初等		275	钢	高等		314	广	中等
237	飞	初等		276	高	初等		315	归	高等
238	非	初等		277	搞	中等		316	规	高等
239	肥	高等		278	告	初等		317	鬼	高等
240	费	高等		279	哥	初等		318	柜	高等
241	分	初等		280	歌	初等		319	贵	初等
242	份	中等		281	格	高等		320	滚	高等
243	奋	高等		282	个	初等		321	国	初等
244	丰	高等		283	各	中等		322	果	初等
245	风	中等		284	给	初等		323	过	初等
246	封	高等		285	根	高等		324	哈	中等
247	疯	高等		286	跟	初等		325	还	初等
248	佛	高等		287	更	初等		326	孩	初等
249	否	中等		288	工	初等		327	海	中等
250	夫	中等		289	公	中等		328	害	高等
251	肤	高等		290	功	高等		329	含	高等
252	服	初等		291	共	中等		330	寒	高等
253	符	高等		292	贡	高等		331	喊	中等
254	福	高等		293	狗	中等		332	汉	初等
255	府	高等		294	构	高等		333	汗	高等
256	辅	高等		295	购	高等		334	航	高等
257	腐	高等		296	够	中等		335	好	初等
258	父	中等		297	估	高等		336	号	初等
259	付	高等		298	姑	高等		337	喝	初等
260	负	高等		299	古	中等		338	合	中等
261	妇	中等		300	谷	高等		339	何	高等
262	附	高等		301	骨	高等		340	和	初等
263	复	中等		302	故	中等		341	河	中等

342	盒	高等		381	获	高等		420	简	高等
343	贺	高等		382	机	初等		421	见	初等
344	黑	初等		383	鸡	初等		422	件	中等
345	很	初等		384	积	高等		423	建	高等
346	恨	高等		385	基	高等		424	健	中等
347	红	中等		386	及	中等		425	江	中等
348	后	初等		387	吉	高等		426	将	高等
349	厚	高等		388	级	中等		427	讲	中等
350	候	初等		389	极	高等		428	奖	高等
351	呼	高等		390	即	高等		429	交	中等
352	忽	中等		391	急	中等		430	教	初等
353	胡	高等		392	集	高等		431	角	中等
354	湖	中等		393	几	初等		432	饺	中等
355	虎	中等		394	己	中等		433	脚	中等
356	互	高等		395	挤	高等		434	叫	初等
357	户	高等		396	计	中等		435	觉	初等
358	护	中等		397	记	初等		436	较	高等
359	花	初等		398	纪	高等		437	接	中等
360	划	中等		399	技	高等		438	街	中等
361	华	中等		400	际	中等		439	节	中等
362	化	中等		401	季	高等		440	结	中等
363	画	中等		402	济	高等		441	姐	初等
364	话	初等		403	既	高等		442	解	高等
365	怀	高等		404	继	高等		443	介	初等
366	坏	初等		405	寄	中等		444	界	高等
367	欢	初等		406	绩	中等		445	借	初等
368	环	高等		407	加	中等		446	巾	高等
369	换	中等		408	夹	高等		447	斤	中等
370	皇	高等		409	家	初等		448	今	初等
371	黄	中等		410	甲	中等		449	金	高等
372	挥	高等		411	价	高等		450	仅	高等
373	回	初等		412	架	高等		451	尽	高等
374	会	初等		413	假	初等		452	紧	高等
375	婚	高等		414	尖	中等		453	进	初等
376	活	中等		415	坚	高等		454	近	中等
377	火	初等		416	间	初等		455	禁	高等
378	伙	高等		417	艰	高等		456	京	中等
379	或	中等		418	检	中等		457	经	中等
380	货	高等		419	减	高等		458	惊	高等

459	睛	中等	498	渴	初等	537	力	中等
460	精	高等	499	克	中等	538	历	高等
461	景	高等	500	刻	中等	539	立	高等
462	警	高等	501	客	中等	540	丽	高等
463	净	初等	502	课	初等	541	利	中等
464	竟	高等	503	空	中等	542	例	中等
464	敬	高等	504	恐	高等	543	俩	中等
466	静	中等	505	口	初等	544	连	中等
467	境	高等	506	哭	中等	545	联	高等
468	镜	高等	507	苦	高等	546	脸	中等
469	究	中等	508	块	初等	547	练	中等
470	九	初等	509	快	初等	548	炼	高等
470	久	中等	510	筷	中等	549	良	高等
472	酒	初等	511	宽	高等	550	凉	中等
473	旧	高等	512	款	高等	551	两	初等
474	救	高等	513	况	中等	552	亮	中等
475	就	初等	514	亏	高等	553	辆	中等
476	居	高等	515	困	中等	554	量	中等
477	局	高等	516	括	高等	555	疗	高等
478	举	中等	517	拉	中等	556	料	高等
479	巨	高等	518	辣	高等	557	烈	高等
480	句	中等	519	来	初等	558	林	高等
481	具	高等	520	蓝	中等	559	零	初等
482	剧	高等	521	篮	中等	560	领	高等
483	据	高等	522	浪	高等	561	另	中等
484	距	高等	523	劳	中等	562	令	中等
485	决	高等	524	老	初等	563	留	中等
486	绝	高等	525	乐	中等	564	流	中等
487	军	高等	526	了	初等	565	六	初等
488	均	高等	527	雷	高等	566	龙	中等
489	卡	中等	528	泪	高等	567	楼	初等
490	开	初等	529	类	高等	568	陆	高等
491	看	初等	530	累	初等	569	录	高等
492	康	中等	531	冷	初等	570	路	初等
493	考	初等	532	离	中等	571	旅	中等
494	靠	中等	533	礼	中等	572	虑	高等
495	科	中等	534	李	中等	573	绿	中等
496	棵	高等	535	里	初等	574	乱	高等
497	可	初等	536	理	中等	575	论	中等

576	落	高等		615	模	高等		654	判	高等
577	妈	初等		616	末	高等		655	盼	高等
578	麻	中等		617	某	高等		656	旁	初等
579	马	初等		618	母	高等		657	胖	中等
580	码	高等		619	木	初等		658	跑	初等
581	骂	高等		620	目	中等		659	陪	高等
582	吗	初等		621	拿	初等		660	配	高等
583	买	初等		622	哪	初等		661	盆	高等
584	麦	高等		623	那	初等		662	朋	初等
585	卖	中等		624	奶	初等		663	碰	中等
586	满	中等		625	男	初等		664	批	高等
587	慢	中等		626	南	初等		665	皮	高等
588	忙	初等		627	难	初等		666	匹	高等
589	猫	中等		628	脑	中等		667	篇	中等
590	毛	中等		629	闹	高等		668	片	中等
591	冒	高等		630	呢	初等		669	骗	高等
592	贸	高等		631	内	高等		670	票	初等
593	么	初等		632	能	初等		671	漂	中等
594	没	初等		633	你	初等		672	拼	高等
595	媒	高等		634	年	初等		673	品	高等
596	每	初等		635	念	中等		674	平	中等
597	美	中等		636	娘	高等		674	评	高等
598	妹	中等		637	鸟	中等		676	苹	中等
599	门	初等		638	您	初等		677	瓶	中等
600	们	初等		639	宁	高等		678	破	高等
601	梦	高等		640	牛	初等		679	普	中等
602	迷	高等		641	农	高等		680	七	初等
603	米	中等		642	弄	中等		681	妻	中等
604	秘	高等		643	努	中等		682	期	初等
605	密	高等		644	女	初等		683	齐	高等
606	免	高等		645	暖	高等		684	其	中等
607	面	初等		646	偶	高等		685	奇	高等
608	描	高等		647	爬	中等		686	骑	中等
609	灭	中等		648	怕	初等		687	起	初等
610	民	中等		649	拍	高等		688	气	初等
611	名	初等		650	排	中等		689	弃	高等
612	明	初等		651	牌	中等		690	汽	初等
613	命	高等		652	派	高等		691	器	高等
614	摸	高等		653	盘	中等		692	千	中等

693	前	初等	732	认	初等	771	什	初等
694	钱	初等	733	任	高等	772	神	高等
695	欠	中等	734	扔	中等	773	升	高等
696	强	高等	735	仍	高等	774	生	初等
697	墙	高等	736	日	初等	775	声	中等
698	桥	高等	737	容	高等	776	省	中等
699	瞧	高等	738	肉	初等	777	圣	高等
700	巧	高等	739	如	中等	778	胜	高等
701	且	中等	740	入	中等	779	失	高等
702	切	高等	741	赛	高等	780	师	初等
703	亲	高等	742	三	初等	781	诗	高等
704	青	中等	743	伞	中等	782	十	初等
705	轻	中等	744	散	高等	783	石	高等
706	清	中等	745	扫	高等	784	时	初等
707	情	中等	746	色	中等	785	识	初等
708	晴	高等	747	森	高等	786	实	中等
709	请	初等	748	杀	高等	787	食	中等
710	庆	高等	749	沙	高等	788	史	高等
711	秋	中等	750	傻	高等	789	使	中等
712	求	中等	751	晒	高等	790	始	高等
713	球	初等	752	山	初等	791	士	高等
714	区	中等	753	闪	高等	792	示	中等
715	曲	高等	754	善	高等	793	世	高等
716	取	中等	755	伤	高等	794	市	中等
717	去	初等	756	商	中等	795	式	高等
718	趣	高等	757	赏	高等	796	势	高等
719	圈	高等	758	上	初等	797	事	初等
720	权	高等	759	尚	高等	798	试	初等
721	全	中等	760	烧	中等	799	视	初等
722	劝	高等	761	勺	中等	800	是	初等
723	缺	高等	762	少	初等	801	适	中等
724	确	中等	763	绍	初等	802	室	中等
725	群	高等	764	舌	中等	803	释	高等
726	然	初等	765	舍	高等	804	收	中等
727	让	初等	766	设	高等	805	手	初等
728	扰	高等	767	社	中等	806	守	高等
729	热	初等	768	申	高等	807	首	高等
730	人	初等	769	身	初等	808	寿	高等
731	忍	高等	770	深	中等	809	受	中等

810	授	高等	849	所	初等	888	团	高等
811	售	高等	850	他	初等	889	推	中等
812	瘦	高等	851	它	中等	890	腿	中等
813	书	初等	852	她	初等	891	退	高等
814	叔	高等	853	台	高等	892	托	高等
815	舒	中等	854	太	初等	893	外	初等
816	输	中等	855	态	中等	894	完	初等
817	熟	中等	856	谈	中等	895	玩	初等
818	暑	高等	857	汤	中等	896	晚	初等
819	属	高等	858	堂	中等	897	碗	中等
820	术	高等	859	糖	高等	898	万	中等
821	束	高等	860	躺	高等	899	亡	高等
822	树	初等	861	讨	中等	900	王	中等
823	数	中等	862	套	中等	901	网	初等
824	帅	高等	863	特	中等	902	往	中等
825	双	高等	864	疼	中等	903	忘	初等
826	爽	高等	865	提	中等	904	望	中等
827	谁	初等	866	题	中等	905	危	高等
828	水	初等	867	体	初等	906	围	高等
829	睡	初等	868	天	初等	907	伟	高等
830	顺	中等	869	田	中等	908	卫	高等
831	说	初等	870	甜	高等	909	为	初等
832	司	中等	871	填	高等	910	未	中等
833	私	高等	872	挑	高等	911	位	中等
834	思	中等	873	条	中等	912	味	中等
835	死	高等	874	跳	高等	913	胃	高等
836	四	初等	875	铁	高等	914	谓	高等
837	寺	高等	876	听	初等	915	温	中等
838	似	高等	877	庭	中等	916	文	初等
839	送	初等	878	停	中等	917	闻	中等
840	诉	初等	879	挺	中等	918	问	初等
841	素	高等	880	通	中等	919	我	初等
842	速	高等	881	同	初等	920	握	高等
843	宿	高等	882	童	高等	921	屋	高等
844	算	中等	883	痛	中等	922	无	中等
845	虽	中等	884	头	中等	923	五	初等
846	随	中等	885	突	高等	924	午	初等
847	岁	初等	886	图	中等	925	武	高等
848	孙	高等	887	土	中等	926	舞	高等

927	务	中等	966	校	中等	1005	烟	高等
928	物	中等	967	笑	初等	1006	严	高等
929	误	中等	968	效	高等	1007	言	中等
930	夕	高等	969	些	初等	1008	炎	高等
931	西	初等	970	鞋	中等	1009	研	中等
932	吸	高等	971	写	初等	1010	盐	高等
933	希	高等	972	血	中等	1011	颜	中等
934	析	高等	973	谢	初等	1012	眼	中等
935	息	初等	974	心	中等	1013	演	高等
936	悉	高等	975	辛	高等	1014	验	中等
937	惜	高等	976	新	初等	1015	央	高等
938	习	初等	977	信	中等	1016	羊	中等
939	席	高等	978	星	初等	1017	阳	中等
940	洗	初等	979	行	初等	1018	养	中等
941	喜	初等	980	形	高等	1019	样	初等
942	戏	高等	981	醒	高等	1020	腰	高等
943	系	初等	982	兴	初等	1021	咬	高等
944	下	初等	983	幸	高等	1022	药	中等
945	吓	高等	984	性	高等	1023	要	初等
946	夏	中等	985	姓	中等	1024	爷	中等
947	先	初等	986	凶	高等	1025	也	初等
948	鲜	高等	987	兄	中等	1026	业	中等
949	闲	高等	988	雄	高等	1027	叶	高等
950	显	高等	989	休	初等	1028	页	中等
951	险	高等	990	修	高等	1029	夜	中等
952	县	高等	991	秀	高等	1030	一	初等
953	现	初等	992	须	中等	1031	衣	初等
954	线	高等	993	需	中等	1032	医	初等
955	乡	高等	994	许	中等	1033	依	高等
956	相	中等	995	续	高等	1034	宜	中等
957	香	中等	996	宣	高等	1035	移	高等
958	响	中等	997	选	中等	1036	遗	高等
959	想	初等	998	学	初等	1037	乙	中等
960	向	初等	999	雪	中等	1038	已	中等
961	项	高等	1000	寻	高等	1039	以	初等
962	象	中等	1001	训	高等	1040	椅	中等
963	像	中等	1002	压	中等	1041	亿	中等
964	消	高等	1003	牙	中等	1042	义	高等
965	小	初等	1004	亚	高等	1043	艺	高等

1044	议	高等		1083	语	初等		1122	章	高等
1045	译	高等		1084	玉	中等		1123	掌	高等
1046	易	高等		1085	育	中等		1124	丈	高等
1047	益	高等		1086	预	高等		1125	招	高等
1048	谊	高等		1087	元	中等		1126	找	初等
1049	意	初等		1088	园	高等		1127	召	高等
1050	因	初等		1089	员	高等		1128	照	中等
1051	阴	高等		1090	原	中等		1129	折	高等
1052	音	中等		1091	圆	高等		1130	者	中等
1053	银	中等		1092	源	高等		1131	这	初等
1054	引	高等		1093	远	初等		1132	着	初等
1055	饮	中等		1094	院	初等		1133	真	初等
1056	印	中等		1095	愿	中等		1134	争	高等
1057	应	初等		1096	约	中等		1135	整	高等
1058	英	高等		1097	月	初等		1136	正	初等
1059	迎	高等		1098	阅	高等		1137	证	高等
1060	营	高等		1099	越	中等		1138	政	高等
1061	影	中等		1100	晕	高等		1139	之	中等
1062	映	高等		1101	云	中等		1140	支	中等
1063	永	中等		1102	运	中等		1141	汁	高等
1064	泳	高等		1103	杂	高等		1142	知	初等
1065	勇	高等		1104	灾	高等		1143	织	高等
1066	用	初等		1105	载	高等		1144	直	中等
1067	优	高等		1106	再	初等		1145	值	高等
1068	尤	高等		1107	在	初等		1146	职	高等
1069	由	中等		1108	咱	中等		1147	止	中等
1070	邮	高等		1109	暂	高等		1148	只	中等
1071	油	中等		1110	赞	高等		1149	址	高等
1072	游	高等		1111	脏	中等		1150	纸	中等
1073	友	初等		1112	早	初等		1151	指	高等
1074	有	初等		1113	澡	中等		1152	至	高等
1075	又	初等		1114	造	高等		1153	志	中等
1076	右	中等		1115	责	高等		1154	制	高等
1077	于	中等		1116	怎	初等		1155	治	高等
1078	余	高等		1117	增	高等		1156	致	高等
1079	鱼	中等		1118	展	高等		1157	智	高等
1080	愉	高等		1119	占	中等		1158	中	初等
1081	与	中等		1120	站	初等		1159	终	高等
1082	雨	初等		1121	张	中等		1160	钟	高等

1161	种	中等	1175	转	中等	1189	租	中等
1162	众	高等	1176	庄	高等	1190	足	中等
1163	重	中等	1177	装	中等	1191	族	高等
1164	周	中等	1178	状	高等	1192	组	中等
1165	猪	中等	1179	追	高等	1193	最	中等
1166	竹	高等	1180	准	初等	1194	醉	高等
1167	主	中等	1181	桌	中等	1195	昨	初等
1168	助	初等	1182	资	高等	1196	左	中等
1169	住	初等	1183	子	初等	1197	作	初等
1170	注	高等	1184	自	中等	1198	坐	初等
1171	祝	高等	1185	字	初等	1199	座	中等
1172	著	高等	1186	综	高等	1200	做	初等
1173	抓	中等	1187	总	中等			
1174	专	高等	1188	走	初等			

鉴 定 意 见

2020年6月，孔子学院总部组织《汉语国际教育汉语水平等级标准》书面鉴定会。鉴定专家组由北京师范大学、天津师范大学、北京语言大学、华南师范大学及美国哥伦比亚大学、欧洲汉语教学协会、日本大阪大学10位专家组成。

专家们认真审读了课题组的研制报告、《汉语国际教育汉语水平等级标准》（以下简称《等级标准》）、论文《汉语国际教育汉语水平等级标准全球化之路》（《世界汉语教学》2020年第2期）。经认真讨论，形成以下鉴定意见：

一、《等级标准》以全球化需求为导向，满足汉语国际教育教学、测试、学习、评估诸多方面世界性需求，充分体现汉语特点和中国文化特色，继承30多年来汉语水平等级标准的传统，集成创新出包容性、混合型、全方位"三等九级"的新理念、新范式，这是改革创新的大方向，是新时代所急需的汉语国际教育学科与事业发展的统领性、创新型国家标准的顶层设计。

二、《等级标准》创新提出"3+5"规范化新路径。其中的"3"，指关于言语交际能力、话题任务内容、语言量化指标三个层次的新理念。三者构思完整，兼容并包，衔接紧密。其中的"5"，则指对接受汉语国际教育者应该掌握的听、说、读、写、译五种语言基本技能的要求，翔实具体，层次清晰，具有科学性、系统性、适用性、阶梯性和可操作性。

三、《等级标准》在首创汉语国际教育音节、汉字、词汇"三维基准"基础上，继往开来，进一步创新拓实音节、汉字、词汇、语法"四维基准"等级量化指标国际化新规则，自成一个相当完整的体系，具有原创性和前瞻性，具有一种以汉语及其独特性为中心的体系优势，这是国家级《等级标准》应有的品格。

四、《等级标准》立足汉语汉字特点，总结吸收国际汉语教学汉字"认写分流"教学实验的研究成果，参考借鉴中国义务教育阶段语文"新课标""认写分开"的实践经验，倡导汉字认读与手写适度分离，合理规范初等、中等、高等三等水平递进式汉字认读与手写汉字的配比，是新时期教材编写和汉字教学、学习、测试、评估的新思路、新模式。

五、《等级标准》借鉴和吸纳中国对外汉语教学和世界各地汉语教学70年的经验及实证研究成果，勇于突破，开拓创新"附录A（规范性）语法等级大纲"，并将其与"三等九级"新范式有效对接，这是一项难度较大的系统工程，是富有开创性的实践，有利于增强和优化语法教学和测试的针对性、实效性和引领性。

鉴定专家组一致通过对《汉语国际教育汉语水平等级标准》的鉴定。

《汉语国际教育汉语水平等级标准》
鉴定专家组组长：许嘉璐
2020年6月3日

鉴定专家组签字

鉴定专家组组长：

许嘉璐　　教授　　　　　　北京师范大学

鉴定专家组成员：

钟英华　　教授、校长　　　天津师范大学

刘　利　　教授、校长　　　北京语言大学

吴　坚　　教授、副校长　　华南师范大学

白乐桑　　教授　　　　　　巴黎东方语言文化学院

古川裕　　教授　　　　　　日本大阪大学

刘乐宁　　教授　　　　　　美国哥伦比亚大学

谢小庆　　教授　　　　　　北京语言大学

朱瑞平　　教授　　　　　　北京师范大学

张　博　　教授　　　　　　北京语言大学

后　　记

2020年对国际中文教育来说是非常不平凡的一年。这一年适逢教育部设立中外语言交流合作中心，这一年又赶上国家标准《汉语国际教育汉语水平等级标准》（以下简称《等级标准》）由国家语委语言文字规范标准审定委员会审定，这是国际中文教育事业进入新时代创新发展的两个重要的标志性事件。《等级标准》研发从2017年5月开始筹划，2018年4月正式启动，2020年12月完成。《等级标准》凝聚着几代人的教学智慧和不懈努力，在这里我们重点强调以下四点：

1. 组建了一个志同道合、能干大事的老、中、青相结合的专家团队，这是成功的关键因素。《等级标准》是教育部中外语言交流合作中心（简称"语言合作中心"）及汉考国际重中之重的重大项目，在马箭飞主任和赵国成副主任的支持下，先后组建了老专家顾问组和中青年专家组，我被聘为课题组首席专家，负责统筹规划、总体设计，并执笔撰写论文《汉语国际教育汉语水平等级标准全球化之路》（在《世界汉语教学》2020年第2期发表）。根据我的提议，聘请知名专家傅永和、侯精一、李行健、王理嘉、张厚粲组成老专家顾问组，组织六所高校九人组成中青年专家组，后来专家组不断扩大。

2018年10月开始，根据研究内容和工作计划，中青年专家组陆续成立三个工作组：（1）"等级描述语体系"工作组，主要成员是梁彦民（北京语言大学）、刘立新（北京大学）、王学松（北京师范大学）、于天昱（北京语言大学）、张洁（中国人民大学），主要负责《等级标准》"3+5"新路径的具体内容研制，包括每一等、每一级的语言水平描述，话题任务内容选取，听说读写译语言能力界定，语言等级量化指标细化等工作。（2）"语法等级大纲"工作组，主要成员有应晨锦（首都师范大学）、金海月（北京语言大学）、王鸿滨（北京语言大学），主要负责《等级标准》"附录A（规范性）语法等级大纲"的创新实践，包括语法大纲框架设计、初中高三等语法难度与进度划定、语法类目修订、三等九级语法点选取及例句编写等工作。（3）"实证研究"工作组，由张新玲（上海大学）带领，主要负责依据《等级标准》内容设计调查问卷、收集试测数据、进行效度研究等工作。

这次研制《等级标准》，我们这个团队有一种别具一格的个性和特点，老中青专家抓住大机遇，多方征求意见，团结协作，充满自信，积极作为，集智攻关；一边写论文，一边搞研发，用论文引领带动研发，在创新实践中修改完善论文，把文章写进标准里，从标准里"挤"出、悟出论文的要点。这样一遍又一遍，一轮又一轮，"等级描述语体系"经过十多轮修改，语法等级大纲经过十几轮完善，学术论文反复推敲15稿，"实证研究"向全球6个地区23个国家汉语考试考点的学生、教师、专家发放近4万份的问卷调查，经过征求来自美国、英国、法国、德国、日本、韩国等国家30多所院校的80多位中外专家学者的意见之后，终于经过三年半的真抓实干，完成了"为国家干点儿实事""给历史留下点儿有用的东西"的夙愿，交出了一份满意的"答卷"。

2. 感谢著名语言学家许嘉璐先生的大力支持。作为《等级标准》专家鉴定组组长，许先生抱病认真阅读所有的评审资料，并特意写了一封信"致鉴定组各位专家"，现将这封信的主要内容引用如下，与业内专家、学者共享。

阅读了《汉语国际教育汉语水平等级标准》，又拜读了《鉴定意见（草稿）》，复读《等级标准》；刘英林先生与李佩泽、李亚男两位博士之大作《汉语国际教育汉语水平等级标准全球化之路》，则反复读之。至此，自以为已得《等级标准》之三昧，益觉《鉴定意见》要言不繁，确当平允，语语中的，使我获益良多，喜不自胜。

《等级标准》的确是汉语国际教育行进在"全球化之路"上的一项突破既往，在理念、路径、范式等多方面都有重大创新的重要成果，是当前以及今后一段时间汉语国际教育可以并且应当遵循的标准。

我认为，《等级标准》研制之所以成功，主要原因有四：第一，参加研制这一标准的专家们清醒地看到了在全球化、文化多样性的大好形势下，世界各国对汉语国际教育的需求，同时比较充分地分析了汉语国际教育的现状；第二，专家们认真地研究并吸取了汉语国际教育几十年来积累的研究、制定《等级标准》和用以指导教学实践的经验；第三，深化了对汉语汉字和中华文化特点的认识；第四，专家们勇于创新，因此从汉语国际教育的理念、等级标准的整体结构、形成回答新时代国际需求的新范式等方面，都有重要的突破。

出于对新的《等级标准》的理解和体会，我完全赞同这一《等级标准》的鉴定意见草案。

3. 感谢鉴定会三位外国知名专家的热情鼓励。据我所知，这是"语言合作中心"设立后国际中文教育第一次邀请外国专家参加国家标准项目鉴定会，是中外语言交流合作深入发展的新形式、新探索，具有重要意义，现摘要引用三位专家鉴定意见的相关内容，与学界专家、同人共享。

法国白乐桑先生对我们从上世纪 80 年代开始研制的汉语水平等级标准和汉语水平考试给予了很高的评价，他表示：

刘英林先生及团队为学科建设所做的工作功不可没。它（《等级标准》）的重大意义是把汉语水平等级标准这一课题带回到正规，基于科学的角度探讨研制汉语标准，肯定了汉字的地位。

语法等级大纲设计得很合理，基本合乎中文教育的实际进度。

美国刘乐宁先生认为：

这一《等级标准》植根汉语，独具特色，是中国政府和汉语教学界为世界上所有从事汉语教学和学习汉语的人们献上的一份厚礼。它必将为新时代全世界多层次的汉语教育提供测试、教学、学习和评估的统一、联通和实用的指导。

日本古川裕先生指出：

（《等级标准》是）一项非常优秀的汉语国际教育标准体系，完全有资格作为语言文字规范以及水平考试标准对外公布。

4. 感谢鉴定会其他专家的支持和鼓励。参加鉴定会的另外六位教授都认真写了鉴定意见，因篇幅所限，引用三位教授专家鉴定意见与大家共勉。

天津师范大学钟英华教授、校长：

《汉语国际教育汉语水平等级标准》根据新时代汉语国际教育需要，以基本事实为依据，确立目标定位，从多个层面注入新内涵，具有系统性、集成性、协调性，形成了突出汉语特色的等级标准新范式。新设计的初中高三等九级水平等级新标准，体现了等级之间的互通关联，突出了科学化、多元化、系统化的新理念，对推动汉语国际教育发展标准化、专业化具有十分重要的价值和意义。新《等级标准》结构清晰，等级合理，汉字认读书写搭配适当，有利于进行实用、统一、规范的测试并引导学生系统掌握中文知识，语法等级分布合理科学，具有较好的创新价值和实际应用价值。

北京语言大学刘利教授、校长：

（《等级标准》）立足新时代国际中文教育的需要，在继承传统的基础上，进行了可贵的创新性探索，体系完备，设计合理，内容科学，堪称汉语国际教育领域又一集大成性质的成果，是对国际中文教育具有重要指导作用的纲领性文献，可喜可贺！个人体会，《等级标准》有以下三个方面优点：

（1）集成性广。深刻总结了对外汉语教学、汉语国际教育的实践，全面吸收了对外汉语教学、汉语国际教育70年的经验和智慧，同时在认真研究世界主要语言标准的基础上，合理吸收这些语言标准的优点，保证了等级标准与世界主要语言标准的兼容与衔接，较好体现了"开放、包容、规范"的特点。

（2）科学性高。提出汉语水平等级"三等九级"新框架，各等级按照"言语交际能力、话题任务内容、语言量化指标"定性描述、定量要求，语言要素涵盖语音、汉字、词汇、语法四个方面，语言能力包括"听说读写译"五种能力，总体设计科学合理，系统性强，可以全面地指导汉语国际教育的教学、学习、测试与评估。

（3）应用性强。立足汉语汉字特点，全面吸收汉语汉字研究与教学的最新成果，汉字按照"认写分开、多认少写"的思路，对汉字认读与书写分别提出要求；语法坚持"教学语法"原则，对语法项目进行较大幅度的调整与简化，符合语言研究与应用的发展趋势，也有助于化解"汉语难学""汉字难学"等困扰汉语国际教育的焦点问题。

北京语言大学谢小庆教授：

作为一个曾经长期从事HSK研究工作的教师，看到《汉语国际教育汉语水平等级标准》，由衷地感到高兴。这份研究成果，凝聚了成千上万从事汉语作为第二语言教育的教师的教学经验，反映了中国汉语国际教育所取得的成就，体现了中国特色、中国高度。我认真地阅读了《鉴定意见（草案）》，完全同意。这个意见全面、准确地对这项研究成果做出了评价。在阅读所提供的评审资料时，我有三点突出的感受：

第一，《等级标准》在博采众长的基础之上突出了汉语特色。在语言等级标准制定方面，国际上已经有一些认真严肃的探索。我们需要虚心学习、吸收和借鉴各国的这些研究成果。汉语具有数千年的发展历史，具有自己的特点，我们不能简单模仿、照搬别国的经验，需要从汉语特点出发建立可以促进汉语学习和测试的汉语水平等级标准。

第二，《等级标准》在继承的基础之上不断创新。我国汉语作为第二语言教学的教师从上世纪80年代后期就已经开始关于汉语水平标准的研究和探索，1996年已经正式出版了《汉语水平等级标准和语法等级大纲》。在这些历史成果中，包含着汉语教师们的教学经验和思考成果。新的《等级标准》继承了这些宝贵成果，在此基础之上又不断大胆创新，形成了"三等九级""3+5框架""认写分流，多认少写"等一系列创新成果。

第三，《等级标准》是老、中、青几代人共同努力的结果。老一代具有丰富的经验积累，擅于深思熟虑；年轻人具有更广阔的国际视野，擅于兼容创新。大家在共同的努力中实现互补。

中文正在成为国际性语言。登高望远，需向宽处行。经反复论证，为顺应历史前进方向和事业发展的需要，将《汉语国际教育汉语水平等级标准》更名为《国际中文教育中文水平等级标准》。最后，感谢国内外所有参与座谈、咨询的专家教授热情友好的支持和帮助，感谢所有以各种形式参与问卷调查和关心、支持研发该标准的专家、学者和朋友。在此，我们再次由衷地说一声：谢谢！

刘英林

2021年2月于北京